DETECTIVE CONAN
名探偵コナン

大怪獣ゴメラ
VS
仮面ヤイバー

映画「大怪獣ゴメラVS仮面ヤイバー」の制作発表会のさなか
プロデューサーの死体が発見される・・・!!

パーティ会場に居合わせたコナンたちは!?

大怪獣ゴメラ
Daikaijū Gomera

VS

仮面ヤイバー
Kamen Yaibā

江戸川コナン
（工藤新一）
Conan Edogawa

毛利 蘭
Ran Mōri

服部平次
Heiji Hattori

遠山和葉
Kazuha Tōyama

名探偵コナン
大怪獣ゴメラVS仮面ヤイバー

水稀しま／著
青山剛昌／原作　大倉崇裕／脚本

★小学館ジュニア文庫★

オレは高校生探偵、工藤新一。

幼なじみで同級生の毛利蘭と遊園地に遊びに行って、黒ずくめの男の怪しげな取り引き現場を目撃した。

取り引きを見るのに夢中になっていたオレは、背後から近づいてくるもう一人の仲間に気づかなかった。オレはその男に『APTX4869』という毒薬を飲まされ、目が覚めたら——体が縮んで子供の姿になっていた!!

工藤新一が生きているとヤツらにバレたら、また命を狙われ、周りの人にも危害が及ぶ。

だからオレは阿笠博士の助言で正体を隠すことにした。

蘭に名前を聞かれてとっさに『江戸川コナン』と名乗り、ヤツらの情報をつかむために、父親が探偵をやっている蘭の家に転がり込んだ。

小さくなっても頭脳は同じ。迷宮なしの名探偵。真実はいつもひとつ!

1

真っ暗なスクリーンに、映画会社のマークと社名が浮かび上がったと思うと、次に青空にそびえ立つ高層ビルが映った。

再び画面が暗くなり、『日売テレビ新社屋完成記念映画』という文字が浮かぶ。

すると直後に、岩肌のようなものが映った。背びれのような突起物が無数に並ぶそれは、大怪獣ゴメラの背中だった。

突起物が並ぶ長い尾を空高く振り上げたゴメラは、その巨体をゆっくりと起こし、紅蓮の炎の只中でけたたましい咆哮を上げた。

『伝説の大怪獣か』

黒い画面に文字が流れると、今度は広大な石切り場が映った。大爆発が起きて、爆煙の中からバイクが飛び出してくる。

それは、仮面ヤイバーだった。純白のアーマーと紺青のボディスーツに身を包み、マスクの額に浮かぶY字形の黄色い装甲パーツがキラリと光る。

仮面ヤイバーはアクセルを回して加速すると、バイクの上で立ち上がった。

「トゥ!!」

大きくジャンプした仮面ヤイバーは、クルクルと回転して、空中でキックする。

『無敵のスーパーヒーローか』

不穏な空をバックに、ゴメラとヤイバーが並ぶ。

『大怪獣ゴメラVS仮面ヤイバー　制作決定!!』

正面の巨大なスクリーンに文字が映し出されると、場内の明かりがついた。

そこは日売テレビ新社屋にある大ホールだった。立食形式のパーティが開かれ、大勢の人々に混じってコナンたちがいる。

「すっげぇなぁ！　ゴメラVSヤイバーだってよ!!」

「まさに夢の競演ですね！」

「早く観たーい♡」

予告映像を見た小嶋元太、円谷光彦、吉田歩美が盛り上がっていると、灰原哀が諭すような口調で言った。

「制作決定ってあったから、撮影はこれからなんじゃない？　公開はまだまだ先ね」

「えー、早く観たいのに～」

歩美が不満そうに口をとがらす。

子供たちのそばにいた服部平次は、おもむろにしゃがみ込んでコナンに語りかけた。

「……にしても、新社屋完成記念に怪獣映画作るとはな。(金が)あるとこにはあるもんやで」

「まぁな。でもまぁおかげで、なんだかんだゴメラやヤイバーに因縁のあるオレらも、おっちゃん共々、招待されたわけだしな」

コナンはそう言って、別のテーブルでここぞとばかりに料理を食べ散らかしている毛利小五郎を見た。

「うんめ～♡」

手にしたお酒を飲み干してすっかりご機嫌の小五郎を、周囲の客があきれ顔で見ている。

「で？」コナンは平次に目を向けた。「オメーはオヤジさんがらみで招待されたのか？」

「ん、いや……あれや」

苦笑いした平次は、会場の壁ぎわを指差した。壁にはゴメラと仮面ヤイバーのポスターが貼られていて、その前に遠山和葉と毛利蘭が立っている。

「はぁ～。カッコええなぁ、ゴメラ……」

両手を胸の前で組んだ和葉は、うっとりした顔でつぶやいた。

「あ、うん。そうだね……」

少し引き気味であいづちを打った蘭は、ポスターを見つめる和葉の方を向いた。

「和葉ちゃん、怪獣とか好きだったんだ……」

「ゴメラは特別♡。子供の頃、平次と一緒に映画館で観て、メッチャ感動してん♡」

「へぇ～、そうなんだ」

「けどなぁ」和葉の表情がふいに曇る。

「『最期の決戦』の次の『永遠に』から中の人が変わって、なーんか微妙な出来が続いてたところに……これや!!　アタシもう楽しみで楽しみで……」

和葉の熱狂ぶりに、蘭は思わず苦笑いした。

その様子を見ていた平次が、はぁ……とため息をつく。

「和葉のことはなんでもわかてる思てたけど、まだまだやなぁ」

すると、和葉が「平次～！」と声をかけてきた。

「なんや！」

「ゴメラと一緒に写真撮ろうやー！」

ステージ横に置かれたゴメラの巨大フィギュアの前に移動した和葉は、手を振った。

「つたく。勘弁してくれや」

面倒くさそうに言いつつも、平次はフィギュアに向かって歩き出す。

(と言いつつ、行くんだ……)

まんざらでもない平次に、コナンは苦笑いした。

「じゃあ撮るよ～」

蘭が和葉のスマホを構えると、平次と一緒にフィギュアの横に立った和葉は、満面の笑みを浮かべてゴメラに抱きついた。


ほどなくして、ステージの演台に日売テレビ映画制作部のプロデューサー・米倉功人(43)が立った。

「え～、皆様。本日は弊社、日売テレビ新社屋完成記念映画『大怪獣ゴメラVS仮面ヤイバー』の制作発表会においでいただき、誠にありがとうございます。この後も、仮面ヤイバーショーや新怪獣のお披露目などもございますので、どうぞお楽しみください」

会場に拍手が起こり、コナンの隣で料理を食べていた平次は、米倉の顔を見て軽く首を傾げた。

「あのプロデューサー、どっかで見た顔やな」

「ああ。日売テレビのヒットメーカーとか言われて、ときどきテレビにも顔出してるからな。映画制作に乗り出したのはここ数年らしいぜ」

「はぁ～、テレビから映画にねぇ……」

平次はそう言って、ステージの袖に引っ込む米倉を興味なさげに見送った。すると、

「あの、お食事中すいません」

男が小五郎に声をかけた。

「名探偵の毛利小五郎さんでいらっしゃいますね？」

「あ、はい……」

あいかわらず料理を食べ続けていた小五郎が、きょとんとした顔を向ける。その顔は赤く、すでに酔っているようだ。

「私、米倉の部下で、小杉と申します」

中分けにした髪を軽くはねさせた小杉裕雅（32）は、細身で今どきの男性という印象だった。名刺入れから名刺を取り出し、両手で小五郎に差し出す。

「そりゃどうも」

「明日の撮影もよろしくお願いします」

名刺を受け取った小五郎は「へ？」と眉を寄せた。

「撮影……？」

「もう、お父さん」

そばにいた蘭があきれ顔で間に入る。

「招待状に案内が書いてあったじゃない！」

「そ、そうだっけ？」

「そやで、おっちゃん！」と和葉も身を乗り出す。

「明日は大阪城公園で群衆シーンの撮影や」

「ぐんしゅうシーン？」

小五郎がきょとんとすると、光彦が脇から言葉を添えた。

「怪獣が現れて逃げ惑う人々を撮影するんですよ」

「エキ……エキス……」

元太の言葉に、灰原が「エキストラ」と言い添える。

「そのエキストラって役をやるんだろ？」

「歩美たちも出られるんだよね？」

子供たちがたずねると、小杉は「ええ、もちろん」とうなずいた。

「やったー♡」

「でも群衆シーンですから、人がたくさん来ますよねぇ」

「んじゃあ、すんげぇ目立つ格好してこーぜ！」

「怪盗キッドみたいな？」

「いいですねぇ」

盛り上がる子供たちのそばで、小杉は困り顔になった。

「あー、ちょっと君たち……」

「なぁなぁ蘭ちゃん。アタシら、どんなカッコしてく？」

子供たちと同様に、和葉もカメラに映る気満々のようだった。

すっかり盛り上がっている彼らを、コナンと平次はあきれ顔で見ていた。

ステージを下りた米倉は、険しい顔でスマホを見ながらバックヤードの通路を歩いていた。

「米倉さん？」

前から歩いてきた女性スタッフに声をかけられて、ハッと顔を上げる。

「どうかされました？　怖い顔されてましたけど……」

「あ、いや、ちょっと考え事をな」

米倉は笑ってごまかしながら、スマホをポケットにしまった。

「ほな、お疲れさん」

「お疲れ様です」

米倉は女性スタッフの横を通り過ぎると、再び険しい顔になった。さらに通路を進んだ先にあるドアの前に立つと、首から提げているカードキーを壁のセンサーにかざした。

『大道具倉庫Ｂ』のプレートが掛かったドアが解錠され、米倉がドアを開ける。

そこは大きな倉庫だった。

薄暗い部屋には、番組で使用する美術セットや大道具などが所狭しと収納されている。

「おい、小杉ぃ」

米倉がドアから手を離すと、内開きのドアがキィィ……と音を立てて閉まった。

「どこやぁ、小杉ぃ……」

米倉は呼びかけながら、部屋の奥へと進んだ。

部屋の中央には、三メートルほどの巨大な新怪獣とゴメラのフィギュアがあった。新怪獣には鋭い牙がついている。薄暗いなか突然目の前に現れた怪獣のフィギュアに、米倉は思わずギョッとした。

「つたく、驚かしやがって……」

ゴメラと新怪獣のフィギュアは、両肩に巻かれた二本のロープで棚に吊るされていた。

米倉は辺りを見回しながら棚に近づき、新怪獣の前に背を向けて立った。スマホを取り出し、険しい顔で画面を見つめる。


新怪獣のフィギュアが吊るされた棚の上には、黒い人影がかがんでいた。

人影はスマホに夢中になっている米倉を見下ろして、ニヤリと笑った。そして腰の辺りからナイフを取り出した。が、手が滑ってナイフが落ちる。

キン……と甲高い音が響いて、人影はギクリとした。

しかし、米倉はスマホの画面を見たままで、音に気づいていないようだった。スマホを見ながら何やらブツブツつぶやいている。

人影は棚の天板に落ちたナイフを手に取り、そのまま新怪獣の左肩のロープにナイフの刃先を当てた。ギコギコと押しながらロープを切る。

片方のロープが切れてバランスを崩した新怪獣のフィギュアが、グラリと前のめりになった。人影はすかさずもう一本のロープにナイフを当て、ギコギコと動かした。ねじり合わさった糸がどんどんほつれて、ついにブツッと切れる。

二つのロープを切られた新怪獣フィギュアは、ゆっくりと前に倒れていった。

その気配に気づいた米倉が振り返る。

「うわぁぁぁぁ」

ドシャッ、と鈍い音がして、倒れたフィギュアの下から鮮血がじわじわと広がった。

制作発表会が行われた大ホールでは、米倉の挨拶の後は歓談が続いていた。

米倉はこの後仮面ヤイバーショーなどがあると言っていたが、一向に始まる様子はなく、客たちのざわめきが徐々に強くなっていく。

灰原はスマホのボタンを押して、画面に時刻を表示させた。

「ずいぶん長いご歓談タイムね」

「ああ……」

コナンも不思議に思い会場を見回すと、スタッフたちが深刻な顔で司会者の男と話している姿が見えた。彼らはすぐに慌ただしく走っていった。灰原もコナンの視線の先を見る。

「何かしら。ずいぶん慌ててるみたいだけど……」

「ああ」

コナンは、そばにいた平次に目で合図をした。そして、酔っ払っている小五郎に近づいていく。

「ねぇ、おじさん！」

「ん？」

「裏で何かあったみたいだよ」

「何かって――」

「ボク、ちょっと見てくる！」

コナンはそう言って駆け出すと、ステージに上ってそのまま舞台袖に消えた。

「あ、おいコラ！　勝手にウロチョロするな！」

小五郎は仕方なくコナンの後を追った。さらに平次もそれに続く。

「おい、ボウズ！　どこ行くんだ、一体……」

コナンを追いかけてきた小五郎がバックヤードの通路に出ると、何やら人だかりができていた。その中で、顔面蒼白になった小杉がしゃがみ込んでいる。そのそばには開いたままのドアがあった。

「って、なんだありゃあ……」

人だかりに気づいた小五郎が足を緩めると、

「すいません！」「通してくれや！」

コナンと平次は人だかりをすり抜け、ドアから中に入っていった。

そこは、美術セットや大道具が置かれた倉庫だった。

「あ、ちょっと君たち！　入っちゃダメだ！」

ドアを押さえていたスタッフが叫ぶ。

「！」

倉庫の中央までやってきたコナンと平次は、床に倒れている巨大な怪獣フィギュアの前で足を止めた。男が前のめりに倒れた怪獣フィギュアの下敷きになっていたのだ。

その男は、先ほどステージでスピーチをした米倉だった。

怪獣の大きな牙がナイフのようにとがっていて、その切っ先が仰向けになった米倉の腹部を貫き、床には血だまりが広がっている。

コナンを追いかけてきた小五郎がすぐに倉庫に入ってきて、ドアの横に立っていた司会者に声をかけた。

「一体何事ですか」

「そ、それが……」

怪獣フィギュアの下敷きになっている米倉を見つけて、小五郎はうっ、と絶句した。

「こ、これは……警察に連絡は？」

冷静になった小五郎は、すぐに司会者の方を向いた。

「あ、はい。つい今しがた……」

司会者が答えるなか、コナンと平次は事切れた米倉に近づいた。

「おい、遺体に触るなよ！」小五郎が注意する。

平次はコナンの横でしゃがみ込み、遺体をじっと見つめた。

遺体のそばには、米倉のだろうか――スマホが転がっていた。


日売テレビ新社屋前には多数の警察車両が駆けつけ、遺体発見現場の倉庫ではすぐに現場検証が行われた。

「こら、ひどいなぁ。腹を牙で一突きか……」

大阪府警捜査一課の大滝悟郎警部は、怪獣フィギュアの下敷きになった遺体を見て、思わず顔をしかめた。そばには小五郎、コナン、平次もいて、

「亡くなったのは米倉功人さん。ここのプロデューサーです」

小五郎が遺体の人物の名前を告げた。

「なるほど……」

遺体の前でしゃがみ込んだ大滝は、おもむろに天井を見上げた。

「えらい暗いなぁ。もっと明るくならへんのか」

「すんません。電気系統のトラブルで、これ以上は明るくならんのやそうです」

鑑識課員が答えると、大滝は「ったく」とため息をついた。

「それやったら、おい、そこの君！」

と、入り口近くの鑑識課員に声をかける。

「入り口のドア開けてくれ。廊下の照明で少しは明るくなるやろ」

「あの、それが……」

鑑識課員はドアノブに手を掛けてドアを開けた。しかし、手を離すとすぐにドアが閉じてしまう。

「ここのドア、押さえとかんと勝手に閉まってまうんです」

「アホか！　だったらストッパーでもなんでもかまして、開けたままに——」

「まぁまぁ」

小五郎は、怒鳴る大滝をなだめた。

「どっちにしろ見たところ事件性はなさそうですから、問題ないでしょう」

「まぁ……」

と、あらためて遺体を見る二人に、平次は不満そうに声をかけた。

「それでええんか？　二人とも」

大滝と小五郎は、平次の方を見た。

「平ちゃん」

「いいも何も、これはどう見たって……」

「被害者の右手を見てみぃ」

平次に言われて、大滝と小五郎は再び遺体の前でしゃがみ込み、米倉の右手を見た。

四本の指は血がべっとりとついているが、人差し指だけはなぜか血がついていない。

「どういうこっちゃ？　人差し指だけ血が拭われている」

「ええ……」

米倉の右手を覗き込んでいる二人に、コナンが「それから」と声をかけた。

「そばに落ちてるスマホを見てよ」

「スマホ？」

小五郎と大滝は、遺体のそばに落ちているスマホを見た。

スマホの指紋認証ボタン部分にだけ、かすれた血の跡がついている。

「これは……」

「なるほど。指紋認証のボタンか」

大滝の言葉に、平次がうなずいた。

「おそらく被害者は腹を刺された後も、しばらく意識があったんやろな。何をしようとしたのかはわからんけど、スマホを取り出し、ロックを解除した……」

「きちんと認証されるように、人差し指の血を拭ってね」

コナンが言い添えると、大滝が「よし、わかった」と立ち上がった。

「大至急、スマホのデータを解析させるわ」

「ああ……」

平次がうなずいたとき、

「大滝警部！」

棚に登って怪獣を吊っていたロープを検分していた鑑識課員が声を上げた。

「なんや？」

「ちょっとこのロープ見てください」

鑑識課員に言われて、大滝は棚に登った。平次とコナンもそれに続く。

一同は、鑑識課員が示すロープの先をまじまじと見つめた。ロープの先はほつれているものの、その撚り合わさった糸の先はまるで鋭利な刃物で切られたようにきれいな切断面になっている。

「……なるほど。ほつれてはいるけど、自然に切れたモンやないな」

平次の言葉に、鑑識課員は「ええ」とうなずいた。

「だいぶ頑丈なロープみたいですから、切るのに少し手こずったようですね」

ロープの切断面を見ている三人のそばで、コナンは棚板を見ていた。

「ねぇねぇ、ここんとこに何かの傷がついてるよ」

鑑識課員たちは、コナンが指差した方を振り返った。

「ああ。それはナイフの切っ先か何かでついた傷や」

「棚の天板にナイフの傷？」

鑑識課員の言葉に、下にいた小五郎は眉をひそめた。

「つまり、ロープを切ろうとした犯人がナイフを落として傷をつけたってことか？」

「ええ。ですが、傷が小さすぎてナイフの特定はできるかどうか……」

鑑識課員に言われて、小五郎は、う〜ん、と顎に手を当てた。そのそばに、平次が脚立を使って棚から下りてくる。

「せやけど、これではっきりしたな。これは事故やない。周到に計画された殺人事件や」

平次の言葉に、一同は小さく顎を引き、怪獣フィギュアの下敷きになった米倉を見下ろした。

何者かが事故に見せかけて、米倉を殺害したのだ——。

2

　殺人事件と断定した大滝は、会議室に移動して、第一発見者の小杉から事情聴取を行った。遺体を発見した小杉はショックを受けて別室で休んでいたが、会議室に呼び出された今も顔色が悪く怯えていた。

「米倉さんがあんなことになってしもて……もう何がなんだか……」

　小杉と会議用テーブルを挟んで向かい合わせに座った大滝は「それで？」と言った。

「現場になったあの倉庫のセキュリティはどうなってるんです？」

「ああ……それなら、このカードキーを使って鍵を開けるんです」

　と、小杉は首から提げているカードを示した。

「で、そのカードキーを持っていたのは？」

小五郎がたずねる。

「確か……米倉さんを入れて、十五人くらいです。あそこにあった新怪獣は今日の発表会でお披露目するまで極秘扱いだったので、限られた人間しかあそこには入れないようにしてあったんです」

大滝と並んで座った小五郎は、なるほど、と顎に手を当てた。

「容疑者はかなり絞られますね」

「ええ……」

小五郎と大滝の会話を聞いて、小杉は「あの……」と身を乗り出した。

「米倉さんが亡くなったの、事故じゃないんですか？」

「目下、調査中や。それはそうと君、被害者と揉めとったそうやないか」

大滝に言われて、小杉はビクッと肩を震わせた。

「え、そ、それは……」

「言い争うのをスタッフが見てるんや」

大滝は、聞き込みで得た情報を突きつけた。

「今回のこの企画、元々は君のアイデアやったそうやないか。それを被害者が盗んだとか
――」

「違います！」

小杉は即座に否定した。

「この企画は全部、米倉さんと話し合って立てたもんなんです！」

「だが、手柄を独り占めされてしまった」

小五郎は鋭い眼差しで小杉の顔を見据えた。

「違うんや!!」

小杉はテーブルを叩き、声を上げた。

それまで大滝の後ろで平次と並んで話を聞いていたコナンは、「ねぇ、お兄さん」と小杉に話しかけた。

「お兄さんはどうしてあんな時間に倉庫に行ったの？」

突然、子どもに話しかけられた小杉は、「え？」とコナンを不思議そうに見た。

「あの倉庫に何か用事でもあったんか？」

平次もたずねる。

「そ、それは……米倉さんからのメモで、二時半に倉庫に来るようにってあったんや。米倉さん、発表会が終わったらすぐにバンコクに出張だったから、その前に何か話があるのかと思って……」

初めて聞く情報に、大滝が「ほぉ」と目を凝らす。

「それで？　そのメモは今どこに？」

「捨てました。そうするように書いてあったので……」

「…………」

小杉を訝しむように見ていた大滝は、椅子の背にもたれると、小五郎と顔を見合わせた。

「すいません……」

うつむいた小杉がぽつりとつぶやく。

壁ぎわに立っていた平次は腕を組み、目を閉じた。コナンはうなだれる小杉を見つめた。

大ホールで行われていた制作発表会は急きょ中止となり、蘭や子供たちはロビーのある階に下りてきた。ロビーには大勢の警官がいて、物々しい雰囲気だった。

「あーあ。ヤイバーショーは中止かぁ」

「明日の撮影は予定通りだといいんですが……」

「待ちくたびれて腹減っちゃったよぉ」

子供たちが口々にぼやくそばで、灰原はふと背後から鋭い視線を感じた。ハッとして柱の方を振り返るが――誰もいない。

「哀ちゃん、どうかした？」

蘭がたずねると、灰原は「なんでもないわ」と首を横に振った。そのそばで、スマホの画面を見た和葉が眉をひそめた。

「……ったく。平次からも音沙汰なしや。どないしよ、蘭ちゃん」

「もう少し待ってみよ。――あれ？　そういえばコナン君は？」

蘭に言われて、子供たちはキョロキョロと辺りを見回した。

「そういえばしばらく見かけませんねぇ」

「もしかして毛利のおじさんと一緒かも」

「ったく。またいつもの抜け駆けかよ」

蘭たちはコナンを捜し始めたが、灰原だけは一人、視線を感じた柱の方を見ていた。

気のせいだろうか。柱の陰から誰かがこちらを見ているような気がしたのだけど……。

そんな彼らを、別の方角から見つめている人影がいた。それは、先ほど柱の陰から灰原たちを見ていた人物だった。

会議室を出たコナンと平次は、米倉が倉庫に入る前に通路ですれ違ったという女性スタッフに話を聞いた。

「ああ、そういえば米倉さん、えらい怖い顔してスマホにらんではったわ」

「それって何時ごろだかわかる？」

コナンがたずねると、女性スタッフは、うーん、と少し考え込んで、

「確か午後イチの打ち合わせが終わってすぐやったから、二時二十分ごろかなぁ……」

と答えたところで、大滝がやってきた。

「平ちゃん、準備できたで」

「ああ、今行く。——そんじゃ、おおきに。助かったわ」

「ありがとう」

平次とコナンは女性スタッフに礼を言うと、大滝と廊下を進んだ。

大滝は歩きながら調査結果を伝えた。

「倉庫に入れるキーを持ってたスタッフのうち、犯行時刻にバックヤードに残ってたんは、小杉の他には二人だけやった」

「そら好都合や。で、その二人は？」

「さっきの会議室で待ってもろてるわ」

大滝が会議室のドアを開けると、部屋には二人の男がいた。

一人は細身の男で右足に包帯を巻き、松葉杖がそばに立てかけてある。もう一人は対照的に角刈りのガタイのいい男だ。二人とも極めて不機嫌そうな顔で、部屋に入ってきた大滝たちを見た。

「ったく、どんだけ待たすねん。こっちはアンタら警察とちごて、秒単位で仕事してるんやで！」

「米倉があないなことになって、それでのうてもテンテコ舞いやっちゅうのに」

「えらい剣幕やなぁ。なんぞ訊かれたら困ることでもあるんとちゃうか？」

平次が言うと、二人はギロリとにらみつけた。

「なんや、お前？」

「オレか？　オレは高校生探偵、服部平次や！」

二人はギョッと目を丸くした。が、すぐに馬鹿にしたような表情を浮かべる。

「……あ〜ぁ、聞いたことあるわ。工藤新一と張りおうて『西の高校生探偵や！』ゆうてイキってるガキやろ？」

「おおかた親父さんのコネで手柄立てせさせてもろてんのとちゃうか？」

（ハハハ……）

こめかみに青筋を立てている平次を、コナンはちらりと見た。

「おい、お前ら——」

切れそうになる大滝の肩を、平次がつかむ。

「まぁ、ええわ……」

怒りを抑えた平次は、引きつり笑いを浮かべた。

「米倉さんが亡くなった件について、訊きたいことがあってな」

平次が言うやいなや、二人の男は眉をひそめた。

「米倉は事故死やないんか？　なんで探偵なんかがしゃしゃり出てくるねん」

「それとも何か？　誰かに殺されたとでもいうんか」

「三原さんと高内さん。あんたら、米倉さんの部下やったんやろ？」

平次がたずねると、細身の男――三原義人（38）は「ああ、そうや」と答えた。

「『チーム米倉』いうて、ブイブイ言わしてたわ」

「とはいえ、最近の企画はほとんど俺らが考えたもんや」

ガタイのいい男――高内尊（35）はそう言って、椅子の背もたれに寄りかかって両腕を組んだ。

「ヒットメーカーやなんや言われてたけど、あの人はもうただのお飾りやったな」

「そんな米倉さんがいなくなれば、あんたらがトップに立てる。動機としては十分や」

平次の言葉に、高内は「んなアホな」と肩をすくめ、三原は「ちょお待てや！」と身を乗り出した。

「小杉はどうした!?　あいつも『チーム米倉』やぞ。なんでここにおらんのや!?」

小杉に矛先を向ける三原に、平次は厳しい視線を向けた。

「人のことより今は自分の心配した方がええんとちゃうか？　――今日の午後二時半ごろ、どこで何しとった？」

「ケッ。アリバイ確認かよ」

三原は鼻で笑った。

「そのころなら俺は三階の会議室で撮影の段取りを確認しとったわ。ずっと一人やったからアリバイにはならんな……」

平次と大滝からやや離れたところで、コナンは三原と高内の様子をじっと窺っていた。

警察に呼ばれてアリバイを訊かれているというのに、二人は緊張するどころかニヤニヤと薄ら笑いさえ浮かべているのだ。

（この二人の妙な自信は一体……）

コナンが不思議に思っていると、三原が「あ、いや」と笑って視線を上に向けた。

「そういや二時半ごろ、スタッフの女の子に痛み止めの薬取ってきてもろたな。地下駐車場のオレの車から」

「痛み止めの薬？」

平次が訊き返すと、三原は「ほら、これや！」と包帯を巻いた右足を上げて見せた。

「三日前に転んでくじいてしまってな。確か、女の子に車の鍵取りに来てもろたんが二時二十分ごろで、薬を持ってきてくれたんが二時半ちょうどくらいかな……」

「薬取ってくるだけなのに、ずいぶん時間がかかったんだね」

コナンが言うと、三原は「ああ」とうなずいた。

「なんでも今日の発表会のせいでエレベーターが全然来なかったらしいんや。おまけに一階から地下に下りる階段も人でごった返しとって、時間がかかったって言うてたわ」

三原の答えを受けて、コナンと平次は三原が米倉を殺害できたかどうか、推理をめぐらせた。

――二時二十分。

三原はスタッフに車の鍵を渡し、その後すぐに会議室を出る。

六階の倉庫に行き、怪獣フィギュアの足場を登って、ナイフでロープを切って怪獣フィギュアを倒して米倉を殺害する。

そしてすぐに三階の会議室に戻り、二時半ちょうどにスタッフから薬を受け取る。

その間、十分。

可能なようにも思えるが、三原は足を怪我している。さらに、エレベーターが使えなかったとすると——階段を使って十分以内に現場を往復するのは無理だ。

アリバイ成立——という結論が、コナンと平次の頭に浮かぶ。

「……で、高内さん。あんたは？」

大滝がたずねると、高内はふてぶてしく頬杖をついて話し出した。

「オレは不審物がないかどうか、トイレや人気のないところを一人で見回ってたんや。知り合いにも会わんかったし、アリバイはなしやな」

アリバイがないというのに、高内は堂々とした態度で、さらににやけた笑いを見せる。

平次が不審げに見ていると、

「そやけど、オレに米倉は殺せへん」

高内はきっぱりと言った。

「なんでや？」

「俺、高いとこ怖いねん」

「はぁ⁉」

平次はすっとんきょうな声を上げた。

「極度の高所恐怖症でな。ちょっと高いところはもちろん、ハシゴとかも絶対に登れへん。聞くところによると米倉さん、怪獣の下敷きになったんやてな。だとすると、犯人は棚に登って怪獣留めてるロープを切ったってことやろ？　俺、そんな棚よう登らんわ」

高内がわざとらしく両肩を上げて身を縮こまらせると、三原は「けっ」と顔をしかめた。

「ホンマか、それ。口だけやったらなんとでも言えるで」

「アホか！　お前も知ってるやろ」

「そやったか？」

三原が、ハハハ……と笑う。

わざとらしさが漂う二人の会話を、コナンと平次は黙って聞くしかなかった。

米倉の遺体と怪獣のフィギュアはすでに倉庫から運び出されていたが、床に広がった血だまりはまだ生々しく残っていた。

その脇にしゃがみ込む人影があった。スマホの明かりで床を照らし、何やら調べている。

さらにその人物は立ち上がり、スマホを構えて遺体があった辺りの写真を撮った。

するとそのとき、ガチャ、とドアが開く音がした。

慌てて棚の奥に隠れる人影。倉庫に入ってきたのは、コナンと平次だった。

「ここ何かで押さえといた方がええな」

「ああ。大滝警部が呼びに来るかもしれねーからな」

コナンたちは近くにあったもので倉庫のドアを押さえると、遺体があったところまで歩いてきた。

「あの二人、なんか怪しいよな」

平次は「ああ」とうなずいた。

「けど、動機も機会もあったのは、小杉だけや」

「…………」

二人が遺体のあった場所を見ながら考えていると、

「平ちゃん、どこや〜！」

入り口の方から、大滝の声がした。

「ああ、大滝ハン。ここや！」

平次が手を上げると、大滝が駆け寄ってきた。

「米倉さんのスマホの解析終わったで」

「ホンマか!?」

「米倉さん、犯人の写真撮ってたみたいなんや」

「スゴイやないか！　これで事件解決やな」

平次が喜ぶと、大滝は残念そうに肩をすくめた。

「いやぁ、それがな……まぁ見たらわかるわ」

そう言って、持っていたタブレットを平次とコナンに見せた。

画面に表示されたのは、人が走っているとかろうじてわかるピンボケ写真だった。犯人らしき後ろ姿が、右からわずかに差し込む光に浮かび上がっている。

「こないピンボケ写真では、身元の特定は到底無理……」

かぶりを振る大滝の前で、写真を見た平次とコナンはニヤリとした。

「大滝ハン！　三原と高内はどこや⁉」

「え？　一階に下りていったで」

「このビルから出しちゃダメだ‼」

「え、ええ⁉」

平次とコナンは倉庫から飛び出した。大滝も後に続く。

足音が聞こえなくなって、棚の奥に潜んでいた人影が顔を出した。そして大滝たちの会話を頭の中で反芻し、思案をめぐらせた。

「出したらあかんて、どういうことや⁉」

廊下を早足で進むなか、大滝がたずねると、コナンはタブレットを指差した。

「その写真よく見てよ。あの倉庫は電気トラブルで暗かったのに、微かだけど光が差してるでしょ」

大滝はタブレットを見ながら「あ、ああ」と答えた。

「その光はどこから来たんやと思う？」

「どこからて……」

平次に訊かれて大滝がタブレットに顔を近づけると、コナンが「ドアだよ」と答えた。

「ドアが開いていて、廊下の照明が入ってきたんだ」

「そやかて、ドアは勝手に閉まるように……」

現場検証のとき、ドアが勝手に閉まってしまうので、ストッパーをかませて開けたままにしておけと鑑識課員に指示したのだが——そこまで考えて、大滝はハッと何かに気づいた。それを見て、平次が「そう！」と声を上げる。

「誰かがドアを閉まらないように押さえといたんや！」

「つまり、犯人は二人組。高内さんと三原さんはグルだったんだよ！」

コナンは小走りになりながら、言葉を継いだ。

「足の悪い三原さんを高内さんが支えて階段を上り、同じように三原さんが棚に登るのを高内さんが下からアシストしたんだ」

写真を見ただけでここまで推理する平次たちに、大滝はあっけに取られてしまった。

足の悪い三原と高所恐怖症の高内には米倉を殺せないと思っていたが、二人でなら可能なのだ――。

大滝は小型無線機を手に取った。

「こちら大滝や！　高内と三原の二人を見つけしだい、身柄を確保せい！」

緊急連絡を受けた警官二人が地下駐車場に下りてくると、一台の車の横で二人の男が膝をつき、車体の下を何やら探っていた。

「ちょっと、そこの二人！」

警官が声をかけると、男たちはハッと振り返った。高内と三原だ。

「二人ともそこを動くな！」

警官の一人が駆け出し、もう一人の警官が無線機を手に取った。

「地下駐車場で高内と三原を発見！　応援願います！」

警官に気づいた三原は、車体の下を探る高内に「はよせい！」と声をかけた。

「見つかったぞ!!」

「言われんでもわかってる！　――あった！」

高内が取り出したのは、キーケースだった。

「よし。じゃあ運転頼むわ！」

「わかった！」

立ち上がった高内はキーケースから車のキーを取り出し、運転席のドアを開けた。

三原も杖をついて、助手席に向かう。そのとき、

「待ちなさい！」

駆けつけた警官が三原の肩を背後からつかんだ。

「離せ！」

三原は警官の手を振りほどき、持っていた杖を大きく振り回した。が、警官はすばやくよけて、三原に組み付いて倒す。

「ここを開けなさい!!」

もう一人の警官は、運転席の窓を叩いた。しかし、高内は無視して車を発進させる。

車は猛スピードで出口へ向かった。

「三原、確保！　高内は米倉の車で逃走！　黒の大型SUV!!」

三原を押さえつけた警官は、小型無線機に叫んだ。

正面玄関から出てきたコナンと平次は、駐車場出口に向かって歩道を走っていた。

すると、黒のＳＵＶが駐車場出口から飛び出してきた。坂道を上った勢いで小さくジャンプした車はクルリと向きを変え、車道を猛スピードで走った。

その先には横断歩道があり、蘭と和葉が楽しげにおしゃべりしながら渡っている。

「蘭姉ちゃんー!!」

「和葉——!!」

コナンと平次が叫んだ。

その声に振り返った蘭は、一台の車がすごい速さで迫ってくるのに気づいた。

「和葉ちゃん！」

蘭はとっさに和葉の腕をつかみ、振り回すようにして歩道に向かって投げ飛ばした。横断歩道に残った蘭に、車が猛スピードで突っ込んでくる——！

するとそのとき、何者かが飛び込んできて、蘭を抱きかかえて歩道に転がった。そのすぐ脇を車が通り過ぎていく。

「蘭姉ちゃん!!」

コナンと平次は、歩道に倒れている蘭に駆け寄った。いたた……と体を起こした蘭は、怪我はしていないようだ。

「ありがとうございます……」

助けてくれた男の顔を見た蘭は、あっ、と声を上げた。コナンも立ち上がった男の姿を見て驚く。

「綾小路警部……！」

「おやおや。また会いましたなぁ、コナン君」

京都府警の綾小路文麿警部はそう言って、スーツの埃をはたいた。胸ポケットからシマリスがちょこんと顔を出す。

SUVを運転する高内は、後方を振り返り、リヤウインドウ越しに横断歩道を見た。

「ハッ、捕まってたまるかよ！」

笑いながら、ゆっくりと前を向く。すると、左側にあるホテルの駐車場からタクシーが出てきた。

「!!」

高内は慌ててハンドルを右に切った。

反対車線を越えて縁石に乗り上げた車は、大きくバウンドして宙に浮いた。

その瞬間――ドオオォン!!

閃光を発して車が爆発した。強烈な爆風が巻き起こり、一帯が炎で赤く染まる。

炎と煙を上げた車は、歩道の先にある第二寝屋川へと落ちていった。

突然の事態に、コナンたちは誰も動けずにいた。ただ呆然と、川へ沈んでいく車を見つめていた。

3

翌朝。コナンは平次と共に、大阪府警本部を訪れた。応接室には平次の父・服部平蔵本部長をはじめ、和葉の父・遠山銀司郎刑事部長、大滝、綾小路も顔を揃えていた。

「……なるほど。大体の状況はわかった。その爆発で一般人に被害はなかったんやな」

窓辺で背を向けて立っている平蔵が確認すると、大滝は「ええ」とうなずいた。

「不幸中の幸いというか、綾小路警部のおかげで……」

と、ソファに腰かけた綾小路をチラリと見ると、その肩からシマリスがヒョコッと顔を出した。

「和葉をかばって轢かれそうになったんは、毛利さんとこの娘さんなんやろう？」

銀司郎がたずねる。

「一応、病院で検査を受けてもらいましたが、異常はなかったようです」

大滝の報告を受けて、平蔵の表情がわずかに和らいだ。

「そうか。大事のうてよかった」

病院で検査を受けた蘭は、そのまま一晩入院し、翌朝に退院した。一晩付き添ってくれた小五郎と一緒に病院を出ると、遠くに朝日に染まる大阪城が見えた。

「ずっと付き添ってなくても、大丈夫だったのに……」

「何言ってやがる。もうちょっとで車に轢かれるところだったんだぞ。まぁ何事もなくてよかった」

なんだかんだ言っても、小五郎は一人娘の蘭が誰よりも大切なのだ。もう高校生なんだから一人でも平気なのに……と思いつつ、蘭は小五郎が心配してくれることを嬉しく思った。

「それで子供たちはどうしてるの？」

「和葉ちゃんが一緒にいる。さてと、俺は捜査本部に戻るかな」

と歩こうとする小五郎を、蘭が「ダメよ」と止めた。

「今日はこれから撮影よ」

「え？　撮影？　あっ……」

蘭に言われて、小五郎は思い出した。昨日、小杉から、大阪城公園で映画の撮影があると言われていたのだ。


大阪府警の応接室では、引き続き大滝が事件の状況を平蔵と銀司郎に報告していた。

「それで、米倉さんの車が爆発した原因は特定できたんか？」

険しい表情で聞いていた平蔵がたずねる。

「過酸化アセトンなどを調合して作った爆薬によるものやろうと。仕掛けられていたのは、トランクの中のようです」

「起爆装置は見つかってないんか？」

銀司郎の問いに、大滝は首を横に振った。

「今のところ見つかっていません。ただ、この爆薬はかなり不安定で、暴走した衝撃でおそらく……」

「高内は即死か」

「ほんまに申し訳ありません」

大滝が悔しそうに頭を下げると、平蔵は「謝るのは後や」と綾小路に目を向けた。

「それより、そろそろ聞かせてもらいたいもんですな。京都府警の警部さんが、なんで現場に居合わせたのか」

それは、この場にいる全員が抱いていた疑問だった。一同の視線を受けた綾小路は、ためらいつつ口を開いた。

「……実は一昨日、京都宝ヶ池の道路で事故がありまして、運転していた男性一名が死亡しました。亡くなったのは恩田崇さんという脚本家です」

綾小路は恩田の顔写真を取り出して一同に見せた。綾小路の正面に座っていた平次が、写真を見て首を傾げる。

「聞いたことないな」

「脚本家というのは名ばかりで、実のところ親の財産を食いつぶす極道息子やったようです。岩倉に豪邸を構え、車も二台。ええ暮らしぶりやったそうや」

綾小路は恩田の写真をテーブルに置くと、さらに別の写真を隣に並べた。ガレージに並ぶ赤と青のスポーツカーの前で恩田が立っている写真だ。

「それで？　その男はどんな状況で亡くなったんや？」

銀司郎がたずねる。

「自宅近くの山道で、車ごと崖下に転落して炎上しているところを発見されました。カーブを曲がり切れなかったようで、所轄は事故と判断したようです」

綾小路はテーブルの上に現場の地図と写真を並べた。平次がそれらをじっくりと見る。

「運転してたんは間違いなく恩田さんやったんか？　遺体はかなりひどい状態やったんや

ろ？」

車が崖から落ちて炎上したとなれば、遺体の損傷はかなり激しいはず——平次は念のためたずねた。

「損傷を免れた指紋や歯科医の記録などから、本人であることは確認済みや」

「そやけど見たところ、そんな急カーブでもないし、本人にとっては通いなれた道やったんやろ？　なんで事故なんか」

「転落時、恩田さんは酩酊状態やったらしい」

綾小路の報告に、銀司郎は「なるほど」とうなずいた。

「飲酒運転による事故か。で、あんたの見立ては違っているわけやな？」

銀司郎に聞かれた綾小路は、無言で小さくうなずいた。ただの飲酒運転による事故と考えるのなら、わざわざ大阪府警まで出向いて本部長らの前で説明する必要はない。

「いくら酩酊していたとはいえ、ブレーキ痕もほとんどなく、どうもただの事故とは考えにくいんですわ」

「何者かがブレーキに細工してたとでも？」

平次に言われて、綾小路は「その可能性もあるな」と答えた。

「でも、恩田さんは車を二台持ってたんだよね？」

それまで平次の隣で黙って聞いていたコナンが口を開いた。最初の説明で、恩田は車を二台所有していたと綾小路が言ったからだ。

「ああ、そうや。赤と青のスポーツカーを持っていてな。偶数日は赤、奇数日は青と決めてたそうや」

「事故の日は？」

「赤色の方や」

綾小路に言われて、コナンは「あれぇ？」と首を傾げた。

「でも一昨日は奇数日だよ」

「実は青の車に故障があったらしくてな。それでどうやら一昨日は赤の車で出かけたらしいんや。もちろん、故障してたんはホンマやった。ただ、ブレーキの細工とかそういうものは見つからへんかった」

「もし誰かが車に細工したとして、その人はどうして赤い車にだけ細工をしたんだろう？どうしても殺したい相手だったら、両方の車にするんじゃない？」

コナンは頭に抱いた疑問を、子供っぽい口調で言った。

「ふむ。それもそうやな……」

コナンに言われて綾小路が考え込むと、平次がたずねた。

「宝ケ池の事件に疑問があるのはわかったけど、そのこととあんたが大阪まで出向いてきたことと、なんの関係があるんや？」

「実は……恩田さんのことを調べているうち、過去に米倉さんと接点のあることがわかったんや」

「接点？」

平蔵が眉を寄せると、綾小路は「ええ」とうなずいた。

「それで米倉さんに話を聞こうと思ってやってきたら、日売テレビはすでに閉鎖された後でした。正面から乗り込んでもよかったんやけど、いらん波風立てたら申し訳ないと思うて遠慮しときましてん」

倉庫で殺害現場の写真を撮ったり、ロビーの柱の陰から灰原たちを見ていたのは、綾小路だったのだ。

「こっちの手の内をこっそり覗いてたんか。いけずなこっちゃ」

大滝の言葉に、綾小路はわざとらしく肩をすくめた。

「堪忍です。こちらもまだなんの確証もつかめておらんので」

二人は互いに鋭い視線を向けた。どこか緊迫した空気が漂い出して、コナンはその場を和らげるように「ねぇねぇ」と子供っぽい声で話しかけた。

「それで、恩田さんと米倉さんの接点ってなんだったの？」

大滝から視線を外した綾小路は、コナンの方を向いて答えた。

「ああ。恩田さんと米倉さんは、かつて同じ団体主催の自主映画上映会に参加してたらしいんや」

「そんな情報あったか？」

銀司郎に聞かれて、大滝は「い、いいえ」と慌てて首を横に振った。

「綾小路警部。その情報は確かなんか？」

銀司郎がたずねると、綾小路は「はい」と顔を上げた。

「恩田さんのスマホなどにも、米倉さんの名前は出てきませんでした」

「ほなら、なんで――」

大滝が言い終わらないうちに、綾小路は答えた。

「ですが、恩田さんの自宅近辺で米倉さんを見かけた人がいました」

「!!」

一同がハッと目を見張る。

「それで探っていったら、過去の接点が見つかったと……」

平次の言葉に、綾小路は無言で小さくうなずく。

考えを整理するように宙の一角を見つめていた大滝が「ややこしいことになったなぁ」

とぼやいた。

「恩田さんのことはおいとくとしても、車に積んであった爆弾は見逃せんで。ひょっとすると米倉さんは、あの二人とは別の人間からも狙われとったのかもしれん」

平次が言うと、コナンは「ねぇ」と口を開いた。

「ボク一つ、ずっと気になっていることがあるんだけど」

「なんや、ボウズ」

綾小路のそばに立っていた大滝が身を乗り出した。

「米倉さんの殺害現場の棚の天板に、小さな傷がついてたでしょ？」

「ああ……」

大滝は怪獣フィギュアを吊るした棚を思い浮かべた。現場検証のとき、コナンが棚の天板に何かの傷がついていると教えてくれたのだ。

「犯人の三原がロープを切断するとき、誤って落としたんやろな」

平次が言い添えると、コナンは「だけど……」と首を傾げた。

「それなら絶対に音がしたはずだよね。どうして米倉さんは気がつかなかったんだろう？」

「どうしてって……」

大滝が答えあぐねていると、平次とコナンがソファから立ち上がった。

「そらぁ、棚の上に誰かおることに気づいてたら、倒れてくる怪獣をよけることもできたはずやぁ」

平次の言葉を聞いた銀司郎は「大滝！」と声をかけた。

「今すぐ確認や！」

「はい！」

大滝はそう言うと、すぐに応接室を出ていった。平次とコナンもそれに続く。

取調室に入った三原は、二台向かい合わせに置かれている事務机の奥側に座った。ドア側には大滝と平次が立っている。

コナンは取調室横の小部屋にいて、マジックミラー越しに取調室の様子を見ていた。

「あん？　ナイフ？」

大滝の質問に、三原はうなだれたまま答えた。

「ああ、落としたで。ビックリするくらい大きな音がしてな。こら気づかれる、もうあかんて思うたわ」

「米倉さんは気がつかへんかったんか？」

平次がたずねると、三原は「ああ」と顔を上げずに答えた。

「なんや知らへんけど、スマホの画面に釘付けになっとってな。えらい思い詰めた声で『恩田のヤツ』って何遍もつぶやいてたで」

思いもよらない名前が出てきて、一同は目を見張った。

「ほんまか!?　ほんまに『恩田』言うてたんか!?」

前のめりになる平次を見て、三原が訝しげに「ああ」と答える。

大滝が銀司郎らに報告すべくドアに向かうと、三原が声をかけた。

「なあ、教えてくれ。高内はほんまに死んだんか？」

大滝が黙ってうなずく。三原は机に突っ伏した。

「なんてことや……」

「お前らが米倉さんの車を奪おうとしたのは、ホンマに偶然なんか？」

大滝がたずねると、三原は「当たり前や」と言った。

「それに、高内が米倉の車のスペアキーの隠し場所知ってる言うたから……」

「そうか」

「車に爆弾があったて聞いたけど……もしかして、オレら以外にも米倉狙ってるヤツがおったんか？」

「現在、捜査中や」

大滝が答えると、三原は「なんやそれ……」と体を起こした。

「ほな一体、俺らがやったことて、なんやったんや……」

椅子の背もたれに寄りかかった三原は、うつろな目で天井を見上げた。

平次、コナンと共に応接室に戻った大滝は、三原から聞いた話を銀司郎たちに伝えた。

「おそらく米倉さんが見てたんは、ネットのニュースサイトやろう。京都で起きた車の炎上事件いうことで、あちこちで取り上げられとったしな」

平次が言葉を継ぐと、銀司郎は「しかし」と眉をひそめた。

「ただの偶然かもしれん。昔の知り合いが死んだいう記事を見て、ビックリしただけかも」

確かに、米倉は単純にニュースに驚いて、恩田の名前を口にしただけなのかもしれない。

三原の証言だけで、米倉の死と恩田の事故を結び付けるのは思慮に欠ける。

すると、コナンが「ねぇ、大滝警部」と話しかけた。

「米倉さんの持ち物ってどこにあったの？」

「ああ。六階にあるスタッフルームに置いたままになってたな」

「その中身って今見られる？」

「一応、一覧にはなってんねや」

大滝は持っていたタブレットを操作して、米倉の所持品の一覧を出した。

「バンコク行きの航空券にパスポート、それから……おっ」

「どないしたんや」

銀司郎がたずねると、大滝はタブレットの画面を示した。

「スポーツ新聞も含めて、新聞が六紙。すべて事件当日のものです」

画面には、タバコや書類にまじって新聞の束が表示されている。

平次は「臭うな」と眉をひそめた。

「恩田の件を詳しく知りとうて、手あたり次第に新聞を買ったようにも見える」

「こら一度調べ直す必要がありそうやな」

平蔵はそう言うと、綾小路に目を向けた。

「あんさんにも協力をお願いしたい」

「承知しました。鑑識に恩田さんの車、もう一度よう調べてもらいます」

「よろしく」

そのとき、平次とコナンのスマホが同時に鳴った。コナンは蘭から、平次は和葉からだ。

「「もしもし」」

二人が同時に電話に出ると、

『ちょっとコナン君、何してるのよ！　もう撮影始まっちゃうよ！』

『ちょっと平次、何してんのや！　もう撮影始まってまうで！』

蘭と和葉の怒声が聞こえてきた。

「やべ！　忘れてた」

「やば！　忘れとった」

コナンと平次は顔を見合わせ、慌てて応接室を出た。

4

映画の撮影が行われる大阪城公園には、エキストラの人たちが大勢集まっていた。その周りでは撮影スタッフらが慌ただしく動き、エキストラの中心には蘭、和葉、小五郎、そして子供たちの姿があった。

「さあ、いよいよですねぇ」

「大人の人たちばっかり。ちゃんと映るかなぁ」

「大丈夫だって。いざとなったらオレが肩車してやるよ！」

歩美たちの前で元太が得意げに自分の胸を叩き、灰原はあきれた顔をした。

「そんなことしたらますます映らなくなるわよ」

子供たちのそばでは、蘭が胸を押さえながらキョロキョロと周囲を見回していた。

「なんだか緊張しちゃうね」

「憧れのゴメラ映画に出られるんやなんて、もう夢のようやわ〜」

と、目をキラキラさせる和葉のそばで、小五郎が大きなあくびをする。

「冗談じゃねぇぜ。こっちはほとんど寝てねぇってのに……」

なんとか撮影に間に合った平次は、周囲を見て小さく息をついた。

「正直こんなことしてる場合やないんやけどなぁ」

隣に立つコナンは頭の後ろで腕を組み、フッと笑った。

「ま、しばらく警察に任せといていいんじゃねぇか。大阪府警と京都府警の縄張り争いとかに巻き込まれたくはねぇからな」

すると、助監督らしき男がやってきて、メガホンでエキストラに呼びかけた。

「では皆さん、これからリハーサルを行います！　あの棒の先端くらいに、怪獣の頭があると思ってくださーい！」

助監督が示した公園の外れでは、長い棒を持ったスタッフが立っている。

助監督の指示を聞いて、歩美は不安そうな顔で元太を見た。

「歩美、どんな顔して逃げたらいいのかな」

「そ、そんなことオレに聞かれても……」

「あんまり難しく考えなくていいと思いますよ」

光彦のアドバイスに、灰原も「そうね」とうなずく。

「実際、怪獣に追いかけられた人なんていないんだし」

さらに助監督は、公園の外れで棒を持ったスタッフとは反対側を示した。

「逃げる方向は向こうです！」

そちらの方向を見ると、数人のスタッフが大きく手を振っている。

「逃げる際の演技は皆さんにお任せします！　ただし、ふざけて笑ったり、目立とうとしておかしな行動をしたりするのは慎んでください！」

「……やれやれ、結構大変だな」

単に逃げるだけでなく演技もしなきゃいけないのか——助監督の指示を聞いていたら、コナンはなんだか面倒くさくなってきた。

隣の平次も、明らかにやる気のない顔をしている。

「それでは、リハーサルからいきまーす！」

助監督の声で、エキストラの面々に緊張が走った。

「よし、スタート！」

エキストラたちはスタッフが手を振る方に向かって、一斉に走り出した。怪獣がいるとされる方向を向いて悲鳴を上げる人、一目散に走っていく人。みんな思い思いの演技をしながら走っていく。

「うわ、うわわわ、怪獣だぁ！」

「助けてぇ～！」

「歩美ちゃん、こっちです！」

元太、歩美、光彦も自分なりに演技をしながら、三人揃って駆けていった。その横で灰原は無言で淡々と走り、小五郎はだるそうにちんたらと進む。

そんななか、迫真の演技を見せたのは和葉だった。

「か、怪獣や!! 平次、怖い――!」

「だ、大丈夫や。オレと一緒に来――い!」

和葉とは逆に、平次はすさまじいまでの棒読みだった。

（あいつ、ここまで演技力ねぇとはな……）

コナンが苦笑いしていると、
蘭がいきなりコナンを抱き上げた。

「コナン君！」

「早く逃げるわよ！」

とコナンを抱えて走っていく。

（オイオイ、これは……！）

蘭はエキストラに交じって全速力で走った。抱えられたコナンの顔が蘭の胸に当たる。

エキストラ全員が所定の場所まで走り終えた。

「歩美の逃げ方、どうだった⁉」

「迫真の演技でしたよ！」

「オレは？　オレは？」

ワイワイ話している子供たちのところに、助監督がやってきた。

「君たち、いい感じだったよ。本番もその調子で」

演技をほめられた子供たちは、顔を見合わせて「やったー！」と喜んだ。

「君はよかったけど、君はなんか動きが固いな。もっとリラックスして」

やった、と喜ぶ和葉の隣で、平次が引きつり笑いをする。

「あなたもよかったです。とっさに子供を抱きかかえるところなんか」

蘭はホッと胸をなでおろした。蘭に抱えられたままのコナンは、頬を赤くしている。

「あと、すみません」

助監督はあくびをしている小五郎に声をかけた。

「もう少し、やる気出してもらえませんか？」

「あ、はぁ……」

小五郎が返事をするやいなや、助監督はクルリと向きを変えてエキストラ全員に声をかけた。

「では元の場所にお戻りください。すぐに本番いきまーす！」

その頃。大阪南港の倉庫街にある廃倉庫の前に、一台の車が停まった。

運転席から降りてきた男は、転がるゴミを蹴散らしながら、持っていたカメラで周囲の写真を撮る。

そして鍵を開けて倉庫の中に入ると、また写真を撮った。何もないガランとした室内を何枚か撮った後、階段を上がり、二階の錆び付いたドアを開けた。

そこは殺風景な埃まみれの部屋だった。足を踏み入れると、ギシ……と床が鳴る。

男は部屋の中央のテーブルに置かれた箱に気づいた。

「……？」

怪訝に思いながらも、男はテーブルに近づいた。置かれているのは、なんの変哲もない小さな箱だ。

なんだ？　この箱は……？

男は箱をつかみ、フタを開けた。

「！」

箱の中には、明らかに爆弾とわかるものが入っていた。

男が爆弾だとわかった瞬間――閃光が周囲を覆った。


「よーし、本番！」

助監督の声で、大阪城公園にいるエキストラたちに再び緊張が走った。コナンたちも今度は気合十分の表情をしている。

「スタートぉ!!」

一同が走り出そうとしたとき――突然、パトカーのサイレンがけたたましく鳴った。

気勢を削がれたエキストラやスタッフたちがサイレンの鳴る方を向くと、パトカーが猛スピードで公園内に入ってきた。

急停車したパトカーから飛び出したのは、大滝だった。

「平ちゃん！　またまた事件や!!」


爆発が起きた大阪南港の倉庫街には消防車や警察車両が何台も停まり、二階部分から黒煙が立ち昇る倉庫の前では大勢の警察官や消防士が慌ただしく行き交っていた。

大滝のパトカーから降りた平次は、放水作業が続けられている倉庫を見上げた。

「こら、えらいことになってるな……」

天井や窓が吹き飛んだ倉庫はところどころ外壁が崩れ落ち、周囲にはガレキが散乱している。

平次のそばで倉庫を見上げていた小五郎は、隣に立つコナンをジロリとにらんだ。

「ってか、なんで小僧が一緒に来てるんだ⁉」

「どうしても海が見てみたくって……」

コナンが適当な言い訳をすると、小五郎は、ったく、とあきれた顔をした。

「しかし、これだけの爆発で被害者が一人っていうのは——」

「この倉庫を所有していた会社は一年前に倒産、それ以降買い手もつかずほったらかしになっていたようで……」

大滝の報告を聞いて、平次は再び倉庫を見た。

「で、周囲に人はおらんかったちゅうことか。それで爆発に巻き込まれたんは、どこの誰や？」

「末村良平さん。日売映画制作部の人や」

大滝はそう言って、胸ポケットから末村の写真を取り出して見せた。

「！」

コナンと平次は目を見張った。

「なんやて！　日売映画⁉」

「ああ、平ちゃんたちに来てもろたわけがわかったやろ。末村さんは『ゴメラVSヤイバー』の撮影に使える倉庫を探していたんや。ほんで今日は検討用の写真を撮りに来たらしい」

「それで、爆発物の特定は？」

小五郎がたずねる。

「まだ確定したわけやないけど、鑑識の話では十中八九、過酸化アセトンを使ったものやと」

「つまり、高内を吹き飛ばしたあの爆弾と……」

大滝は険しい表情でうなずいた。

「同じものやと考えられる」

「なるほど…二つの爆破事件が繋がったっちゅうことやな、そうなると……」

平次が言いかけたとき、一台の車がやってきて、コナンたちのそばに停まった。車から降りてきたのは、綾小路だった。

「いやいや。仲間外れは殺生ですな、警部」

綾小路に言われて、大滝は「かなわんなぁ」と頭をかいた。

「そやけど、どうやらあんたの言うことを認めなならんようや」

「京都府警の方でもなんかわかったんか？」

平次がたずねると、綾小路は「ええ」とうなずき、近づいてきた。

「再調査の結果、恩田さんの件、爆弾による殺人の可能性が高まってきました」

京都府警が恩田の車を再度調べた結果、車の後部トランクあたりから爆発した形跡があったという。

「つまり、米倉さんのと同じように車に爆弾が仕掛けられていた……」

平次が整理する横で、小五郎が険しい表情でつぶやく。

「だとすると、こいつは三件の連続爆破殺人ってことになるな……」

「となると、うちと京都府警で合同捜査本部を作らなあかんな」

大滝は綾小路に手を差し出した。

「協力は惜しみませんで」

握手を交わす二人を、平次とコナンは見つめた。

（なんか引っかかるんだよなぁ）

コナンは心の中でつぶやいた。

恩田の車、米倉の車、そして今回の廃倉庫。三つの爆破事件が繋がっているのは間違いない。

けれど釈然としない。何か違和感があるのだ――コナンの胸には、小さなしこりのようなものが残っていた。

5

とある店で、蘭とテーブルを挟んで向き合ったコナンは、連続爆破事件のことを簡潔に話した。蘭の隣には灰原が座り、二人はパフェやデザートプレートを食べている。

「ふーん、そうなんだ。だったらお父さん、しばらく戻ってこれそうにないね」

「たぶん、合同捜査本部に詰めることになるんじゃないかな……それで、ボクたちどうしてこんな店にいるの？」

コナンはそう言って店内を見回した。

店のいたるところに仮面ヤイバーのグッズが並び、パフェやデザートプレートにはヤイバーの形をしたチョコレートがのっている。

コナンたちがいるのは、仮面ヤイバーカフェだった。

「和葉ちゃんがどうしても来たいって言うから」

(やれやれ……でもまぁ面白れぇからいいとするか)

店内には仮面ヤイバー本人もいて、歩美たちをはじめ子供たちに取り囲まれていた。その輪の中には和葉と平次もいて、和葉は子供たちを押しのけるようにしてヤイバーの横に立った。

「ほら、平次何してんの!?　はよこっち来て！」

「オ、オレも立つんか？」

「当たり前やん！　仮面ヤイバーやで!!」

「やでって言われてもなぁ」

平次は仕方なく仮面ヤイバーの横に並んだ。

「ポーズ決めてくださーい！　撮りますよ〜！」

カメラを持った光彦がシャッターを切る。光彦のそばで見ていた元太は、和葉のテンシヨンの高さに眉をひそめた。

「和葉姉ちゃん、なんか人格変わってねぇか？」

「これが愛なのよ♪」

歩美がフフッと笑いながら答える。

写真を撮ってもらった和葉は、なかなか仮面ヤイバーから離れようとせず、もっと写真を撮れと光彦に命じた。さらに今度は自分のスマホで、ヤイバーの写真を撮りまくる。

「おい。ヤイバーさんも引いてるで」

「蘭ちゃんも一緒に撮ろ～！」

和葉に声をかけられた蘭は、アハハ……と苦笑いした。

「じゃあ、ちょっと行ってくるね」

と席を立ち、和葉の方へ向かう。

灰原と二人になったコナンは「なぁ、灰原」と話しかけた。

「ちょこっと調べてほしいことがあるんだが……」

灰原はパフェを食べるのを止めて、ハア……とため息をついた。

「最近なんだか相棒から使いっぱしりに格下げされた気がするんだけど……」

京都郊外の『奥田』と書かれた表札がある一戸建ての前に、覆面パトカーが停まっていた。

居間に通された大滝と綾小路は、初老の主・奥田と座卓を挟んで向かい合わせに座った。

「奥田さんは一時期、自主映画の上映会をされていたとか」

綾小路がたずねると、奥田は「ええ、してましたで」と答えた。

「一時は盛況やったんですが、この何年かは全然あかんで、三年ほど前に止めましたんや」

大滝は座卓に米倉、恩田、末村の顔写真を並べた。

「この三人に見覚えありませんか？」

奥田は眼鏡をかけ、写真をまじまじと見つめた。

「ああ、この三人。よう覚えてますわ。もう二十年くらい前の参加者ですけどね、ちょっとおもろいこと考える連中でした。この米倉いうんがアイデアマンで、いろんな企画を立てる。恩田は脚本家志望。末村は監督志望やった」

奥田の口からすらすらと三人の名前が出てきて、綾小路は大滝と顔を見合わせた。

「その当時のこと、詳しく聞かせてもらえませんか？」

大阪府警の会議室の入り口には『京都・大阪　連続爆破殺人事件捜査本部』と書かれた紙が貼られ、大阪府警と京都府警の合同捜査会議が行われた。遠山銀司郎、服部平蔵をはじめ、大滝、綾小路らがその場に集う。

「米倉さんたち三人の他にもう一人、一緒に活動していた男がおったらしいです」

「石澤克二さん、理工学部出身」

並んで起立する大滝と綾小路が捜査結果を報告すると、会議室の面々がざわめいた。

「理工学部……つまり、爆弾製造の化学知識があるってことか」

脇に座っている小五郎がたずねると、綾小路は手帳を見て答えた。

「奥田さんの話によれば、手先が器用で、映画の小道具で使ういろんな仕掛けを考案していたとか」

「その男、今どこに？」

銀司郎の問いに、今度は大滝が答える。

「所在不明です。どうやら職も住まいも転々としとるようで……」

二人の報告に、平蔵は「しかし」と顔をしかめた。

「理工学部出身いうだけで容疑者扱いは、少々乱暴とちゃうんか」

平蔵の意見に、一同は心の中でうなずいた。被害者と接点があり、爆弾製造が可能な経歴を持っていたとしても、容疑者と特定するのは早計だ。

すると、綾小路が付け加えた。

「奥田さんによれば、石澤さんは三人から陰湿ないじめを受けていたようです。脅されて言われるがまま小道具を作ったり、雑用をさせられたりして、結局、映像関係の仕事に就くことをあきらめたとか」

「なるほど。そいつは動機になるな」

とうなずく小五郎のそばで、銀司郎は不審げな表情を浮かべた。

「そやけど、いじめは二十年も前の話やろ。なんで今頃……」

「そ、そりゃあ、米倉さんをテレビか何かで見て、復讐心に火がついたとか……」

小五郎の声をさえぎるように、大滝のスマホが鳴った。

「……何？　そうか！　よしわかった」

スマホを切った大滝は、平蔵たちに顔を向けた。

「石澤の家がわかりました！　堺に叔父がおったそうで、そこの家に転がりこんだとか」

「その叔父は？」

小五郎がたずねる。

「去年亡くなったそうです」

「今は一人暮らしか……」

綾小路がつぶやく。

「近所の話やと、定職にも就かずブラブラしとったそうで」

大滝が言うやいなや、白衣の鑑識課員が会議室に飛び込んできた。

「警部！」

「なんや騒々しい」

「指紋が出ました！　末村さんの殺害現場の爆弾から、石澤の指紋が！」

「何っ⁉」

思いがけない報告に、一同がどよめいた。

「石澤の指紋が警察に登録されとったんですか？」

綾小路がたずねると、平蔵は手元の書類をめくりながら答えた。

「石澤という男……二年前に滋賀で暴行事件を起こしとる。ちょっとした小競り合いやったから、書類送検だけで終わっとるがな」

銀司郎も書類をめくった。

「小競り合いの相手は、自警団のメンバーか……」

「自警団っスか？」

小五郎が訊き返すと、平蔵が答えた。

「当時、近隣で放火によるボヤ騒ぎが頻発しとったようで、住人が有志を募ってパトロールしとったみたいですわ」

「そこに引っかかったのが、石澤ですか」

小五郎の言葉に、平蔵が書類を見ながらうなずく。

「深夜にうろついてた不審な男に声をかけたところ、逃げようとしたんで、追いかけて話を聞こうとすると逆上して殴りかかってきた――と」

「それで、放火の犯人は？」

「まだ捕まってないようやな」

大滝の質問に平蔵が答えると、小五郎が立ち上がった。

「こいつは決まりじゃないっスか」

「よっしゃ。今すぐ乗り込みましょか！」

と大滝が気合いを入れると、綾小路が「うかつには踏みこめませんで」と制した。

「家には爆弾が残ってるかも……」

大滝は、うーん、と唸った。

「大人数で行くと、悟られて騒ぎになりかねん。少人数で一気に行くしかないな。となると、誰が先導するかやけど……」

言い出しっぺの大滝に、会議室の面々の視線が集まる。

「それはあんさんにお任せしますわ」

綾小路に言われて、大滝は目をパチクリさせた。


仮面ヤイバーの写真を撮りまくった和葉は、今度は仮面ヤイバーのグッズ売り場に向かった。あれもこれもとグッズを手に取り、平次に一つ一つ見せていく。これもいいなぁ、あれもいいなぁ、と迷う和葉に、平次はこれがええで！　と近くにあった適当なパッチン留めを指差した。

「なぁ、蘭ちゃん。これ見てぇ♡」

席に戻った和葉は、髪につけた仮面ヤイバーのパッチン留めを嬉しそうに見せた。

「どうしたの、それ」

「平次が買うてくれてん♡」

「いいなぁ」

「デへへへ♡　そうやろ〜いいやろ〜♡」

蘭にうらやましがられた和葉は、とろけそうな顔で笑った。

その一方でコナンと灰原の席に戻ってきた平次は、グッタリと疲れ切ってテーブルに突っ伏していた。

「よかったな」「よかったわね」

冷めた目をしたコナンと灰原が口を揃えると、

「お、おう……」

平次は脱力しきったまま答えた。

「そろそろ、捜査本部に戻らねぇとな」

「お、おう……」

コナンに言われ、返事をしたものの、平次はなかなか起き上がれずにいた。

6

翌日の早朝。

人気のない静かな住宅街に複数の警察車両が停まっていた。そこからワンブロックほど離れたところで、大滝と綾小路が小道の奥にある住宅に静かに近づいていく。

警察車両の中にいる銀司郎と小五郎は、固唾を飲んで二人を見守っていた。綾小路から預かったシマリスも窓から覗いている。

「こんなことは考えたくないですが、周辺住人の避難は？」

小五郎がたずねると、銀司郎は落ち着いた声で答えた。

「深夜のうちに完了してます」

「それは何より。しかし一晩張ってたが、なんの動きもねぇな。ホントに中にいるんスかね？」

「エアコンの室外機が回ってるし、物音を収音マイクが拾ってます。誰かおるんは間違いありません」

石澤宅の玄関に着いた大滝は、インターホンを押した。そして、

「石澤さん」

と呼びかけて扉を叩いてみたが、応答はない。

綾小路が引き戸に手をかけてみたが、鍵がかかっていて開かなかった。

「勝手口を見てみましょう」

「ああ」

二人は左右に分かれて勝手口へ回ることにした。荒れた庭を通った大滝は、窓を覗いてみたが、室内は暗くて何も見えない。

敷地を一周した二人は、勝手口の前で合流した。

大滝が勝手口のドアノブを静かに回すと、ドアが開いた。二人は目配せして中へ入った。

薄暗い台所には、食べ終えたカップ麺の容器やペットボトルなどが散乱していた。それらを踏まないように注意しながら狭い廊下に出て、隣の居間へ進む。

居間も台所と同様に散らかってはいるが、特にめぼしいものは見当たらなかった。

二階へ行こうと大滝が再び廊下へ足を踏み出そうとしたとき——背後で大きな物音がした。

「！」

大きな物音に、大滝と綾小路は同時に振り返った。

台所の方から、ゴロリと大きな何かが転がり出てきたのだ。それは、後ろ手に縛られた男だった。猿ぐつわを噛まされた男は後頭部が赤く染まり、ぐったりしている。

「お、おい！　大丈夫か!?」

大滝は駆け寄って、両手に巻かれたロープを外した。

「しっかりしなはれ。誰にやられた？」

綾小路が猿ぐつわを外すと、男はごろりと仰向けになった。その顔を見て、二人はハッとする。

「こ、こいつ――」

「石澤やないか！」

仰向けに倒れた石澤は微かに口を動かしたが、すぐに意識を失ってしまった。

「一体どないなっとんのや……」

大滝と綾小路は、倒れている石澤を呆然と見つめた。

石澤はすぐに病院に運ばれ、治療を受けることになった。

大滝、綾小路、小五郎、平次、コナンが病院の廊下で待っていると、集中治療室の扉が開いて、医師が出てきた。大滝と綾小路が駆け寄る。

「先生、どうです？　石澤の容体は？」

「全身に打撲、ほとんどは軽度のものなんやけど、問題は後頭部の打撲や。これは少々厄介やな。命に別状はないけど、しばらくは絶対安静が必要やな」

「意識は戻りましたんか？　少しでも尋問したいんですけど」

綾小路の言葉に、医師はむっとして迷惑そうに言った。

「アンタ、今の話聞いてたんか？　尋問なんて当分無理や」

「そこをなんとか。ヤツは重要事件の容疑者で……」

大滝が食い下がると、医師は「なんともならん！」と手で制した。

「死んでしもたら元も子もないやろ。とにかく今は絶対安静、面会謝絶や。ええな⁉」

医師はそう言って立ち去った。綾小路と大滝が肩を落とす。

「まいりましたな。石澤の家からは何も出ませんでしたし……」

「まぁヤツの意識が戻ったら、その辺もはっきりするやろ。今は待つしかない」

「そうですな……」

二人のそばにいた小五郎が大きなあくびをして、大滝が「毛利さん」と声をかけた。

「昨日から徹夜で疲れましたでしょう」

「あ、いや……」

「いったんホテルに戻って休まれたらどうです？　進展がありしだい連絡しますから」

「じゃあ、お言葉に甘えてそうさせてもらいましょうか……」

小五郎は申し訳なさそうに言うと、廊下を歩いて玄関に向かった。平次とコナンも後に続く。


あくびをしながら病院の正面玄関を出た小五郎は、タクシー乗り場に向かった。

「ねぇ、おじさん」

コナンは、タクシーに乗り込もうとする小五郎を呼び止めた。

「んあ？」

「ホテルに戻る前にもう一度、石澤さんの家を見といた方がよくない？」

「俺は疲れてんの！　さっさとホテルに帰ってシャワー浴びて一杯ひっかけて……」

と、タクシーに乗り込もうとする小五郎を、平次がジロリとにらむ。

「毛利探偵ともあろうもんが、石澤の様子を見て何も感じひんのか？」

「あん？」

小五郎はかがめた上体を起こして振り返った。

「石澤が連続爆破の犯人なら、誰がその石澤を監禁しとったんか、石澤はなんで傷だらけやったんか、気になる謎がいっぱいやろ」

「んなこたァ、石澤の意識が戻りゃあ――」

「自供待ちなんかでいいの？　おじさん、名探偵なんでしょう？」

コナンに痛いところを突かれて、小五郎は、うっと言葉を詰まらせた。

「わぁった、わぁった！　ただしパッと見てパッと帰るぞ！」

「うん！」

コナンと平次は顔を見合わせてニヤリと笑った。

「ほな、後でな」

平次はそう言って手を振り、駐輪場へと歩いていく。

「おい、アイツは一緒に行かないのか？」

「平次兄ちゃんはバイクで京都だって」

コナンは答えながら、タクシーの後部座席に乗り込んだ。

「京都～？　何しに？」

「さぁ～？」

コナンはニッコリ笑いながら首を傾げた。その顔に小五郎は軽くイラッとしたが、すぐにコナンの隣に乗り込んだ。


石澤宅の前にはバリケードテープが張られ、警官が立っていた。タクシーから降りた小五郎とコナンが近づくと、警官が敬礼する。

小五郎は玄関の引き戸を開けた。

「……にしても、鑑識さんが家中捜しても何も出なかったのに、一体何を見つけりゃいいんだ」

三和土には扉の差し入れ口から落ちた新聞が散らばっていて、小五郎はよけるように進んで靴を脱いだ。コナンも新聞の一面を見ながら、中へ進む。

「そこを見つけるのが、名探偵の仕事でしょ？」

「まぁな」

玄関に上がった二人は、そのまま廊下をまっすぐ進み、奥にある台所へ向かった。

台所は足の踏み場がないほどゴミが散乱していて、小五郎が思わず顔をしかめる。

「きったねぇ台所だなぁ。『ザ・男の一人暮らし』ってヤツだな」

「ここで石澤さんが見つかったの？」

「ああ」

コナンは玄関を振り返った。台所と玄関は直線の廊下で繋がっていて、玄関から覗き込んでいる警官の姿が見える。

「石澤さんが監禁されてたのは？」

コナンがたずねると、小五郎は人差し指で上を示した。

「確か、二階の自分の部屋らしい」

二人は廊下の横にある階段を上がり、廊下を進んだ奥の部屋に入った。

台所と同様に、石澤の部屋は雑然と散らかっていた。

「石澤は二、三日ここに監禁されていたらしい。飲まず食わずのほったらかしでな」

小五郎の説明を聞きながら、コナンは室内を見回した。すぐそばの外開きのドアを見ると、ドアの下の方がへこんでいて鍵が壊れている。

「ねえ、おじさん。ドアの鍵が壊れてるよ」

「ん？」

小五郎もドアを見た。

「おそらく石澤が蹴り開けたんだろうな」

部屋を出た二人は、石澤の足取りを想像しながら廊下を戻り、階段の手前までやってきた。

「で、部屋を出た石澤は階段を下りようとして足を踏み外し、階段を転がり落ちた……」

「全身の打撲痕や傷はそのときついたんだね」

「だろうな」

階段を下りたコナンは、玄関を背にして立ち止まり、階段を下りてくる小五郎を見上げた。

「でもさぁ。石澤さん、台所で何してたのかなぁ」

「んなもん決まってるだろ。縛ってるロープを切るものを探してたんだよ。包丁とかな」

「だけど、ほら」

コナンは振り返って玄関を指した。

「階段下りたらすぐ前は玄関だよ。玄関から外に出ちゃえばすぐに助かるのに、どうして台所に行ったの？」

「ん〜〜〜……」

小五郎はうなりながら、玄関と廊下の先にある台所を交互に見やった。

「ま、気が動転してたんだろ。何しろ飲まず食わず監禁されてたんだから。さぁて現場も見たし、帰るぞ～」

と、そそくさと玄関へ向かう。

コナンはあきれ顔で小五郎を見つつ、小さく息をはいた。そして、三和土に散らばっている新聞に目を落とす。

一番上にあるのは昨日の朝刊だった。一面には米倉が殺害された事件が載っている。

（たぶんこれだな。でもこれが一体……）

コナンが思案にふけっていると、ポケットの中のスマホが震えた。スマホを取り出して、着信表示に目を向ける。

灰原からメールが届いていた。

小五郎とホテルに戻ったコナンは、こっそりホテルを出て、大阪城公園に向かった。

公園内の西の丸庭園には屋台のタコ焼き屋があり、二人分のタコ焼きを買ったコナンは、木を囲むように並べられた六角形のベンチに座った。

「……私、お好み焼きって言わなかったっけ？」

隣に座った灰原は、膝の上に載せたタコ焼きを不満そうに見つめた。

「ワリィ。オレ、店とかよく知らねぇし……」

「もう一人の高校生探偵は？」

「目下、別行動中」

「彼に訊けばよかったのに」

コナンは苦笑いしながら「だな……」と言った。

（つーか、あの約束どーなってんだ？）

大阪に来るたびに、平次はお気に入りのお好み焼き屋に連れていってやると言うものの、なんだかんだあって未だに実現していないのだ。

その頃。平次はバイクで京都市の中心部からやや離れた岩倉に向かっていた。曲がりくねった道を走り、やがて大きな屋敷の前で停まった。

屋敷の前には大きなガレージがあった。二台分のスペースがあるガレージの脇には、立ち番の警官がいる。

平次はヘルメットを取り、ガレージの先にある建物を見上げた。

「さてと……思ってたよりでかい屋敷やなぁ」


灰原は、コナンが買ってきたタコ焼きを食べ始めた。さらに脇に置いたペットボトルに手を伸ばし、お茶をゴクゴクと飲む。

「うん、まぁまぁね」

と、冷めた目でタコ焼きの感想を言う。

「あの、灰原？　そんなことより――」

「頼まれたデータはここにまとめておいたわ」

灰原はそう言って、タブレットを差し出した。

「サンキュー」

「あなたが言ってた四人のうち、後から追加された石澤って人のはまだだけど、他の三人の共通点は多分それで間違いないと思う」

再びタコ焼きを食べ出す灰原の横で、コナンはタブレットを操作して、画面に表示された報告書に目を通した。

「……なるほど。米倉さん、末村さん、恩田さんの三人とも、一度莫大な借金を背負っていたのか」

「で、その借金をキレイに清算したのが、三人揃ってちょうど十年前」

灰原がペットボトルのお茶を飲みながら言うと、コナンは「臭うな」と険しい顔をした。

「そう言うと思って、その前一年間に起きた未解決事件もピックアップしといたわ」

「さすが灰原」

「と言っても、四人組の犯行で、犯人それぞれの借金を清算できる額の事件は、一つしかなかったんだけどね」

コナンはタブレットの画面をタップして、新聞記事を表示させた。記事の見出しには『一億二千万強奪』と書かれている。

新聞記事を読むコナンの隣で、灰原が記事を要約した。

「犯人たちは屋敷の裏口を爆薬で吹き飛ばして侵入。その家の夫婦と使用人二人を拘束したのち、現金一億二千万円を奪って逃走した……」

「……事件の起きたタイミング、爆弾を使った手口、犯人の人数……気になるな」

コナンがタブレットに目を落としながらつぶやくと、灰原は「でしょ？」と言った。

「ただ、仮に今回の被害者四人がその強盗事件の犯人だったとして、今回の事件とどう関係してるのか……まさか十年前の被害者が今になって復讐ってわけでもないでしょうし……」

そう言いながら爪楊枝で刺したタコ焼きを灰原は、パクリと口に入れた。

まぁまぁと言いながらも、次々とタコ焼きを頬張る様子からして、実は結構気に入っているのかも——とコナンは思った。

「まぁ普通に考えれば、仲間割れって線が濃いだろうな」

「それにしたって十年よ？　どうして今ごろ――」

「十年も経てば、人生なんていろいろだ。成功するヤツもいれば、失敗するヤツもいる」

コナンの言葉に、灰原はフッと笑った。

「確かに人生いろいろね。十年前はこんな姿になるなんて、思ってもいなかったし」

とコナンをチラリと見て、ペットボトルに口をつける。コナンは苦笑いして、お茶を飲む灰原を見た。

確かに十年前は、こんな未来を想像していなかった。

毒薬を飲まされて体が縮み、子供の姿になった上に、毒薬を作った張本人と肩を並べてタコ焼きを食べる日が来るなんて――……。

ふいに、灰原が「あっ」と思い出したように言った。

「〝失敗するヤツ〟で思い出した。恩田って人、最近投資に失敗して破産寸前だったのよ」

「それだ！」

とコナンは身を起こした。が、すぐに前かがみになる。

「……と言いたいとこだけど、問題は関係者がすでに殺害されちまってるってことなんだよな……」

「お手上げね……」

膝に手をついたコナンは、これまでに入手した情報をあらためて頭の中で整理した。そして、浮かび上がった疑問を口にする。

「気になる点は四つ。恩田さんは車を二台持っていたのに、なぜ片方にしか爆弾を仕掛けなかったのか。米倉さんの車にあった爆弾には、起爆装置も時限装置もついてなかったのはなぜか。末村さんがあの倉庫に行くことを、犯人はどうやって知ったのか。石澤さんを監禁した上、数日間放置したのはなぜなのか……」

そこまで言って、コナンはさらに顎を引いた。

「さらにもう一つ。はたして、四件目の爆破事件はあるのか——」

午後三時半前。

石澤が意識を取り戻したと聞いて、大滝と綾小路は病室を訪れた。

「大まけにまけて十分やな。それ以上は患者の負担になる」

医師が腕時計を見て言った。

「わかりました」

「ほな、石澤さん。外に看護師待たせとくんで、何かあったら声かけてください」

「ああ……」

ベッドに横たわる石澤は、ぼんやりとした顔で答えた。

「ええか。時間厳守で頼むで」

医師は大滝たちに念を押すと、看護師と共に病室を出ていった。

ドアが閉まるのを見届けた大滝と綾小路は、くるりとベッドの方を振り返った。

「……さてと。ほな聞かせてもらおか」

「あんさんをこないな目に遭わせたんは、誰なんです？」

大滝と綾小路が険しい口調でたずねると、石澤は二人から目をそむけた。

「ごちそうさま」

タコ焼きを食べ終えた灰原は、ハンカチで口を拭いた。隣を見ると、コナンが険しい顔でタブレットの報告書を読み返している。

「ねぇ」

灰原が声をかけると、コナンはタブレットの画面に目を落としたまま「ん？」と返事した。

「今回の爆破事件って、ずいぶんずさんな計画よね？」

「ずさん？」

ようやくコナンが頭を上げて、灰原を見た。

「三件の爆破計画のうち、成功したのは三件目だけ。一件目は計画とは別の日に爆発しちゃったし、二件目は別の人物を殺害しちゃったわけでしょ？」

「ああ……」

コナンはあいづちを打ちながら、それぞれの爆破事件を頭に浮かべた。

一件目は、恩田の車が爆破された事件。赤と青のスポーツカーを一日ずつ交代で乗っていた恩田は、偶数日に乗る赤い車に爆弾を仕掛けられた。しかし、青の車に故障が見つかったため、奇数日に赤の車に乗り、爆死。

（恩田さんは車を二台持っていたのに、犯人はなぜ片方にだけ爆弾を仕掛けたのか……）

二件目は、米倉の車が爆破された事件。米倉を狙って彼の車に爆弾が仕掛けられていたにもかかわらず、奇しくも米倉の車で逃走を図った高内が爆死。

（米倉さんの車にあった爆弾が起爆装置も時限装置もついていなかったのはなぜか……）

三件目は、廃倉庫が爆破された事件。倉庫を訪れた末村が爆死。

（犯人は末村さんがあの日倉庫に行くことをどうやって知ったのか……）

「それに三回の計画のうち、最初の二回が失敗したら、普通三回目はいったん中止して計画を練り直すんじゃない？　犯人はよっぽどの自信家か、何かの理由で計画を中止できなかったか……」

灰原の言葉を聞きながら、それぞれの事件を反芻していくうちに、コナンの頭に一閃の光が差し込んだ。

「……そうか。そういうことか……!!」

「え？」

灰原が驚いて見ると、コナンはニヤリと笑ってタブレットを差し出した。

「サンキュー、灰原。オレのタコ焼きも食べていいぞ」

「え？」

「なんだったらおかわり買ってこようか？」

コナンはそう言うと、ポケットからスマホを取り出して電話をかけた。

「――服部か？　何を捜せばいいかわかったぞ!!」

大阪市内のとある広場に、四輪駆動車が急停車した。

降りてきた迷彩服の自衛隊員が、上官に敬礼する。

「大阪湾より上陸したゴメラは、まっすぐこちらに向かっているとのことです！」

「はい、カットー！」

監督の声がかかると、スタッフたちがわらわらと出てきた。

「チェックしまーす」

助監督がモニターで映像をチェックするかたわらで、ヘアメイクスタッフが自衛隊員役の俳優のメイクを直す。

そこは映画の撮影現場だった。

蘭と和葉、そして子供たちは遠巻きに映画の撮影を見学していた。

「こういうの見てるとワクワクしますね～！」

「うん！　本物の役者さんってカッコイイ♡」

「オレも役者になろうかなぁ」

歩美と光彦は「え!?」と元太を見た。

「んでもって大河ドラマとか出ちゃったりしてよぉ！」

一人で盛り上がる元太に、歩美と光彦は「ハハハ……」と苦笑いした。

「いいですねぇ……」

「元太君、ガンバ！」

子供たちの会話を隣で聞いていた蘭は、スマホを片手に浮かない顔をしている和葉に気づいた。

「どうかした？　和葉ちゃん」

「あ～あ。アタシ、ちょっと浮かれてたかなぁ……」

「服部君のこと？」

「ゴメラとヤイバーが目の前にいて、つい……な」

どうやら和葉は、平次にいろいろ付き合わせたことを申し訳なく思っているらしい。

「大丈夫よ。服部君だってそれぐらい……」

蘭がなぐさめの言葉をかけると、そこに日売テレビの小杉が急ぎ足でやってきた。

「ああ、お二人ともここにいらしたのですか」

「小杉さん……？」

「実は、お二人にお願いしたいことがあって……」

蘭と和葉は、きょとんと顔を見合わせた。


「ええ～っ⁉　アタシらがオーディションに⁉」

小杉に連れてこられたロケバスの中で、和葉はすっとんきょうな声を上げた。

いえいえ、と小杉が笑って手を振る。

「オーディションといっても、そんなに大げさなものではないんです。明日の一般向けの制作発表イベントで、映画に出演していただく方を選ぶというものだったんですが……米倉さんの事件があったりして、お二人辞退してしまわれたんです。それで、もしよろしければ……」

「いや、でも私たち――」

蘭が断ろうとすると、

「ハイ、ハイ、ハーイ!!」

和葉が勢いよく手を挙げた。

「やります！　出ます!!」

「ホントですか!?」

宣言する和葉に、小杉がホッと顔を緩める。

「ゴメラとヤイバーの映画に出られるんやったら、なんでもします！　――な？」

和葉は笑顔で蘭に同意を求めた。

「なぁって……」

「じゃあ僕、そのように手配しますんで、よろしくお願いします！」

小杉が頭を下げる。

「喜んでー！」

さっきまで浮かれすぎたのを反省していたのはどこへやら、和葉はウキウキ顔に戻っていて、蘭は思わず苦笑いした。

7

夕刻になり、大滝と綾小路は大阪府警本部の本部長室に呼ばれた。

「……なるほど。会議前に確認をと思たんやが、そうか、石澤は口を割らんか」

デスクに腰かけた平蔵は、大滝と綾小路の報告を聞いて、いっそう険しい顔をした。

「それがもう『俺は知らん』の一点張りでして……」

デスクの前に綾小路と並んで立った大滝は、困り果てた顔で言った。

病室で何度問いただしても、石澤は頑なに答えなかったのだ。

「それにしても妙な話や。自分を監禁した人間をかばうやなんて」

デスクの横で銀司郎が首をひねると、平蔵が思い出したように言った。

「そういえば、毛利はんはどないしてるんや？」

「石澤宅に寄った後、いったんホテルに戻る言うてたけど……」

銀司郎が答えると、平蔵は小さく息をついた。

「何かつかんでくれてるとええんやが……」

そのとき、コンコンとドアをノックする音がした。

「どうぞ」

銀司郎が言うと、ドアが開いて、小五郎が「どうも……」と顔を覗かせた。

「毛利はん、お待ちしとりました」

「申し訳ありません。ホテルで一休みのつもりがうっかり寝過ごしてしまって……」

小五郎はばつが悪そうに頭をかきながら部屋の中に入った。小五郎の後ろにいたコナンは、するりと部屋に忍び込み、応接セットのソファの陰に隠れる。

「それで？　石澤の家はどうでした？」

平蔵がたずねると、小五郎はテーブルの前で立ち止まって答えた。

「いやぁ、どうもこうも全くなんの……」

コナンはソファの陰から顔を出し、腕時計型麻酔銃の照準器で小五郎の首筋を狙った。

プシュ！　と麻酔針が発射され、立っている小五郎の首筋に刺さる。

「成果もありませ……っ!!」

麻酔針が刺さった小五郎は、そばのソファにふらふらと近づき、崩れ落ちるようにストンと座り込んだ。

「も、毛利さん……？」

ソファに沈み込むように背を預けてうつむく小五郎を見て、綾小路が声をかける。

小五郎の背後に隠れたコナンは、蝶ネクタイ型変声機を口元に当て、小五郎の声で話し出した。

「鑑識作業を終えた後ですから、さほど期待はしていませんでしたが……石澤さんの不可解な行動が見つかりました」

一同は、おなじみのポーズで推理を始めた小五郎に、息をのんだ。最初に口を開いたのは、平蔵だった。

「……ほう。で、その不可解な行動とは？」

「その前に、大阪府警としての見解を聞かせていただきたいのですが」

小五郎に返されて、銀司郎が説明する。

「黙秘してはいるが、石澤克二による犯行と我々は考えてます。過去の恨みを晴らすために米倉ら三人の殺害を計画したと……」

「では、石澤を監禁していたのは？」

小五郎の質問に、綾小路が答える。

「それは、自作自演を疑うてます」

「なんのために？」

「犯人は他にいると見せかけたかったんやないですか？　思いがけず警察の手が迫ってきたんで……」

「しかし、石澤の名前が浮上したのはつい昨日のこと。そんな細工をする時間があったでしょうか？」

小五郎に言われて、綾小路は言葉を詰まらせた。

「そ、それは……」

「それから恩田さん殺害の件ですが」

小五郎の声で、コナンは続けた。

「彼は車を二台持っていて、一日ずつ交代で乗っていたんでしたね？」

綾小路はとまどいながらも「ええ」とうなずいた。

「偶数日は赤、奇数日は青……」

「しかし、彼が亡くなった日は奇数日でした」

「ですからそれは、たまたま青い車が故障していたからで……」

綾小路の答えに、小五郎は「そう」と力強く言った。

「そのたまたまこそが、最初の疑問でした。犯人が一刻も早く恩田さんを殺害したいのなら、両方の車に爆弾を仕掛けたはず。にもかかわらず、犯人はわざわざ赤い車を選んで爆弾を仕掛けた。つまり犯人は、恩田さんに赤い車で死んでほしかったんですよ。偶数の日にね」

綾小路と大滝は顔を見合わせた。

恩田は奇数日に赤い車に乗って爆殺された。それなのに、犯人は偶数日に赤い車で死んでほしかったと、小五郎は断言する。

綾小路と大滝には、小五郎の考えが全く理解できなかった。

「次に末村さんの件ですが……これは前もって廃倉庫に爆弾が置かれていたんですよね？」

大滝は「ええ」とうなずいた。

「箱の中に爆弾を仕掛け、そのフタを開けると爆発する仕組みやったようです」

「犯人はなぜ、フタを開けるのが末村さんだとわかっていたんでしょうか？」

「現場は廃倉庫です。他に人なんか来んでしょう」

「ではなぜ、そんな人も来ないような廃倉庫に末村さんが来るとわかっていたんでしょう？」

「!!」

大滝と綾小路はハッと目を見開いた。

言われれば確かに――綾小路が顎に手を当てて考え込む。コナンは小五郎の声で話を続けた。

「それにしても、なぜ犯人は前もって爆弾を置いておくなんて危険な真似を……」

「そらぁ、アリバイでしょうな」と大滝が即答した。

「爆弾が爆発する頃は、自分は現場から遠く離れた――」

言いかけた大滝は、何かに気づいたようにハッと目を見開いた。すると、考え込んでいた綾小路が「そうか！」と口を開いた。

「そやから赤い車だけやったんや！　恩田さんの車が爆発したとき、犯人がアリバイを確保しておくために！」

蝶ネクタイ型変声機を当てたコナンの口元がフッと緩む。

「本来、恩田さんが亡くなるのは一日後――映画制作発表会の当日でした。関係者の中で、その日に確固たるアリバイを持ち、なおかつ末村さんを現場の倉庫に行かせることができた人物――」

「……米倉か……」

それまで沈黙を貫いていた平蔵が、片目を見開いてつぶやいた。

映画制作発表会に出席する米倉なら、完璧なアリバイを持つことができる。さらにプロデューサーの米倉なら、末村の行動を把握できたはずだ。

「せやけど、米倉の車にも爆弾が……」

平蔵の隣に立った銀司郎が異を唱える。

「その爆弾ですが、時限装置も起爆装置も発見されていません。つまり、爆発物ではあったものの、爆弾ではなかったんですよ。まだね」

「まだ？」大滝が眉をひそめた。

「おそらく米倉さんは制作発表会の後、海外出張のため空港に向かう途中、その爆発物も爆弾としてセットして行くつもりだったんでしょう」

「爆弾セットして行くて、どこに？」

大滝がたずねると、横から綾小路が「そうか！」と再び叫んだ。

「だから石澤を監禁しておいたんですな。監禁した石澤を運び込んだ爆弾で家もろとも吹き飛ばし、全ての罪を石澤になすりつけるつもりやったんでしょう」

「爆弾魔による誤爆ということで片が付くわけか……」

大滝も合点がいったようだった。すると、デスクに座った平蔵が「もしかしたら」と口を開いた。

「米倉は自分の車にも爆弾を残しておき、空港の駐車場で爆発させるつもりやったのかもしれんな」

「たまたま海外出張中やったため難を逃れた、いう筋書きか……」

銀司郎が言い添えると、小五郎は「三原の証言を覚えていますか？」と訊いた。

「米倉さんはスマホの画面に夢中で、何度も『恩田のヤツ』とつぶやいていたと……」

平蔵は「なるほど」と顎を引いた。

「恩田が一日早く死んでしもたことで動揺し、倒れ込んでくる怪獣をよけることができんかった……因果応報やな……」

「しかし……動機はなんですか？」

銀司郎が小五郎の方を向いてたずねた。コナンは蝶ネクタイ型変声機を口に近づけた。

「そこで先ほど言った石澤さんの不可解な行動が関わってきます。監禁されていた石澤さんはドアを蹴破り逃げ出したものの、階段で足を踏み外し転落してしまった。しかし、階段を落ちた先――目と鼻の先には玄関があります。なぜ石澤さんはそのまま玄関から出て助けを求めずに、大滝警部たちに発見された台所に向かったのでしょう？」

小五郎の声で語るコナンは、石澤宅の間取りを頭に描いていた。そして、玄関の様子を思い浮かべる。

「その答えは、玄関に落ちていた新聞にありました。その新聞は石澤さんが監禁中に配達されたもので、一面には米倉さん殺害の記事が載っていました。そこで石澤さんはこう考えた。このまま警察に保護を求めても、米倉さんの爆弾の件を追及され、ひいては昔の悪事まで露見してしまうのでは――と」

「昔の悪事？」

椅子の背もたれに寄りかかっていた平蔵が、少しだけ身を乗り出してたずねる。

「十年前、神戸で起きた四人組による一億二千万強盗事件です」

小五郎の言葉に、大滝はハッと目を見張った。

「ま、まさか……ヤツらがその事件の犯人やと？」

「調べたところ――米倉さん、恩田さん、末村さんの三人は十年前、莫大な借金を揃って返済しています。しかも最近になって恩田さんは投資に失敗、再び借金を背負っています」

しばし沈黙があったのち、銀司郎が「では、毛利さん」と言った。

「米倉は恩田にその事件のことで強請られたために、関係者全員の殺害を計画したと……」

「しかし証拠がないことにはなんとも……」

デスクの上で両手を組んだ平蔵が、渋い顔で言う。

「その証拠なら、まもなくここに届くはずです」

小五郎が言うやいなや、本部長室のドアが開き、平次が入ってきた。

「やっと見つけたで。屋敷が広うて苦労したけどな」

「なんやいきなり。会議中やぞ！」

平蔵がジロリとにらむ。

「なんやも何も、く――」

工藤、と言いかけて、平次は慌てて言い直した。

「毛利はんに頼まれて、恩田の家から証拠品を捜してきたんやないか」

「く、毛利はん……？」

デスクに向かって歩いてくる平次を、綾小路が怪訝そうに見つめる。

平次は持っていたDVDを、デスクにバチンッと勢いよく置いた。

「このディスクん中に、動かぬ証拠の映像が入ってるはずや！」

平蔵はデスクに置かれたＤＶＤを険しい表情で見た。

白いケースに入ったＤＶＤの表面には『チーム米倉　２０１０．１．２５』とマジックで書かれている。

平蔵はケースからＤＶＤを取り出し、デスクにあるパソコンの光学ドライブに挿入した。

デスクに集まってきた一同が、パソコンのモニター画面をじっと見つめる。

動画再生ソフトが立ち上がり、モニター画面いっぱいに荒い映像が表示された。


そこには、薄暗い部屋のソファセットに座る三人の男が映っていた。

十年前の米倉、恩田、石澤だ。

ビデオテープからダビングしたのか全体的に映像が荒く、ときおりノイズが走る。

『おいタカシ！　聞いてんのか⁉』

一人用のソファに座った米倉が、二人用のソファでビールを飲む恩田に向かって叫んだ。

恩田は隣に座る石澤の肩に腕を回し、もたれかかるようにして酒を飲んでいた。

『ちゃんと聞いてるわ！　なぁ、カツジィ？　ヨネはうるさいんや』

恩田が酔っ払った顔を近づけると、石澤は迷惑そうに顔をしかめた。

その姿を見て、米倉は『ったく』と息をついた。

『最後の確認やぞ。現場に着いたら、タカシとカツジは裏口。それからリョウヘイさんは――あ、オイ！　何撮ってるんや、アホ！』

撮られていることに気づいた米倉がカメラに向かって言うと、恩田が『ええやないか、ヨネ』と笑った。

『そうそう』と別の男の声がすると、ソファに座る三人を捉えていたカメラのフレームが左に移動した。

ソファの横には、ビールを持った末村が立っていた。

『このビデオをコピーしてみんなで持っとけば、誰も裏切れねぇからな』

「!!」

末村が映っているのを見て、小五郎のかげにいたコナンと平次は愕然とした。

「よっしゃ。これで決まりや！」

「はよ兵庫県警に連絡せな」

と急ぐ大滝と綾小路に、平次が「待った!!」と声をかける。

「こら、やばいで……」

「何がやばいんや？」

大滝がたずねると、平次の横に並んだコナンが「この画面を見てよ」と一時停止した映像を指差した。

「ここに四人映ってるよね？」

モニターの映像には、ソファセットに集う米倉、恩田、石澤、末村の姿が映っている。

「ああ」

「それがどないしたんや」

不思議そうにモニターを見つめる二人のそばで、平蔵が言った。

「だったら、このビデオ回しとるのは誰や」

「!!」

大滝と綾小路はようやく気づいた。

四人全員が映っているということは、カメラを回している人間が別にもう一人いるということなのだ。

「強盗犯は五人やったんか」

銀司郎が言うと、平蔵は「ああ」とうなずいた。

モニターを見ている平次の横で、コナンは推理をめぐらした。

(米倉の狙いは、関係者全員の殺害。ヤツの手口は前もって被害者の近辺に爆弾をセットしておき、アリバイを確保する――)

それならば、残る一人のそばにも爆弾はもうセットされているに違いない、と思った。

五人目を早く見つけないと、どこかでまた爆弾が爆発する――。

「遠山！」

平蔵が叫んだ。

「大至急、兵庫県警に連絡して十年前の強盗事件の捜査資料を取り寄せろ！　徹底的に洗い直すんや！」

「わかった！」

銀司郎が返事をすると、平蔵は背後に立つ大滝を振り返った。

「それから大滝！　お前はそちらの警部さんと警察病院や！」

大滝はうなずいて「石澤ですな？」と確認した。その隣で、綾小路が口を開く。

「あいつはおそらく五人目を知っているはずですからね」

平蔵は険しい表情で小さくうなずいた。

「なんとしても吐かせるんや！」

次々と部下たちに指示をしていく平蔵に、平次は「オレらは何をしたらいい？」とたずねた。

「お前はこのボウヤ連れてウチに帰れ」

「!?」

平次とコナンは耳を疑った。

「な、なんでや!? このネタつかんで来たのはオレやないか! なのになんで——」

「まぁまぁ、平ちゃん」

平蔵に詰め寄る平次の肩を、大滝がなだめるようにつかんだ。

「ここは本部長の言うこと聞いて、おとなしく帰ろ。な?」

と、平次の肩に手を置いたまま、綾小路と一緒にドアに向かう。

「せやかて大滝はん——」

大滝に連れられて渋々出口に向かう平次に、平蔵が声をかけた。

「平次」

「あーん!?」

思いっきり不機嫌な声を出して平次が振り返ると、

「……ご苦労やった」

デスクに腰かけた平蔵は、横を向いたまま言った。

予想外の言葉をかけられた平次は、一瞬、間の抜けた顔をすると、すぐに照れ隠しにブツブツと何かを言いながら歩き出した。ニヤリと笑った大滝は、平次の肩をポンポン叩きながら、一緒に部屋を出て行った。

8

翌朝。平次はコナンを宿泊先のホテルまで迎えに行くと、バイクの後ろに乗せて、石澤が入院する警察病院へ向かった。

「石澤は口を割らんかったようや」

昨晩、大滝と綾小路が警察病院へ出向き、五人目の強盗犯のことを聞き出そうとしたが、失敗に終わったと、平次は大滝から聞いた。

「夜だったし、まぁ場所が病院だからな。無理は出来なかったんだろう」

コナンが言うと、バイクを運転する平次はチラリと振り返った。

「つまり、オレらの出番っちゅうわけや」

「ああ。手段を選んでる場合じゃねぇぜ！」

「そういうこっちゃ」

前を向いた平次は顎を引き、スピードを上げた。


その頃。蘭と和葉はホテルの部屋で、出かける準備をしていた。

「え～！　蘭ちゃん、オーディション出えへんのぉ？」

映画のオーディションに蘭と一緒に参加する気満々だった和葉は、残念そうに肩を落とした。

「うん。わたし、そういうのはちょっと……」

「なんでなんでぇ？」

「だってほら、子供たちの面倒も見なくちゃいけないし」

和葉は腕組みをして、う～ん、と唸った。

「まあ、しゃーないか。工藤君の手前もあるしなぁ」

「そ、そんなんじゃないよ」

蘭が苦笑いすると、和葉は「けど」と身を乗り出した。

「アタシは一人でも出るでぇ！　オーディション合格して、ゴメラと握手や!!」

「ゴ、ゴメラは、ちょっと無理じゃない？」

「ほな、仮面ヤイバーとや！」

和葉の変わり身の早さに、蘭は再び苦笑いした。

「あ、だったらもう出た方がいいんじゃない？」

蘭に言われて、和葉は腕時計を見た。

「ほんまや」

「じゃあ皆呼んでくるから、あべのハルカス一緒に行こ！」

「うん」

蘭が部屋を出ていくと、一人になった和葉はスマホを取り出した。『着信なし』と表示された画面を見て、ぷうと頬を膨らます。

（平次のヤツ……）

大阪府警の合同捜査本部に、兵庫県警から強盗事件の捜査資料が届いた。捜査官たちが段ボール箱をひっくり返し、慌ただしく調べ出す。

平蔵と共に会議室に入ってきた銀司郎は、捜査官たちに声をかけた。

「どうや、皆。なんか出たか？」

大滝が体を起こし、綾小路も立ち上がった。他の捜査官もビシッと姿勢を正す。

「いえ、まだなんとも。何しろ兵庫県警が捜査し尽くした後ですから、そう簡単には……」

弱気の大滝に、銀司郎は鋭い目を向けた。

「そんなことは百も承知や。そこをなんとかせい言うとんのやないか！」

「ええか、皆！」

平蔵の声に、捜査官一同は直立不動となった。

「四人組やと思われてた強盗犯が実は五人組やとわかった。しかもその五人目のとこに爆弾が仕掛けられてる可能性がある。どっかになんか残してるはずや。必ず探し出せ！」

「はい!!」

捜査官たちは再び捜査資料に目を向けた。

警察病院に到着した平次とコナンは、石澤の病室に向かった。

病室の前に来ると、石澤はベッドの上で体を起こして新聞を読んでいた。『大阪南港で爆破事件』という一面記事の見出しを、厳しい表情で見つめている。

「なんや。えらい元気そうやないか」

平次の声に、石澤はハッとしてドアの方を振り返った。

「誰や、お前」

「気になるか？　その記事」

平次はそう言うと、ベッドに近づいた。

「そらまぁ気になるわなぁ。自分が作った爆弾で昔の仲間が次々と死んでもうたんやからなぁ」

「……警察の使いか」

「お前襲って監禁したのは米倉なんやろ？」

いきなり真相を突かれた石澤は、フンとそっぽを向いた。

「観念して警察にしゃべった方がええと思うんやけどなぁ。残った仲間のこともあるやろし……」

平次の言葉に、石澤の肩がピクリと動いた。平次の横に立ったコナンがたずねる。

「おじさんが作った爆弾、まだ残ってるんでしょ？」

「だとしたら生き残ってる仲間のとこにも仕掛けられてんのとちゃうか？　警察に話して保護してもろた方が――」

「知らん！　俺はなんも知らん!!」

石澤は毛布を頭から被って寝転んだ。予想通りの態度に、コナンと平次は顔を見合わせる。すると、平次のスマホが鳴った。

「もしもし？　どうした？　……なんやて⁉」

平次の緊迫した声が、病室に響く。

「わかった。すぐ戻る！」

平次は通話を切ると、すぐに駆け出した。コナンもそれに続く。

パタン、とドアが閉まる音がして、平次たちの足音が遠のくと、石澤は毛布から頭を出して起き上がった。

ドアの方を見ると――床に何かが落ちていた。それは財布だった。平次がポケットからスマホを取り出した拍子に落ちたのだ。

ベッドの上に残された石澤は、床の財布を鋭い目で見つめた。

大阪市阿倍野区に立地する日本一高いビル――あべのハルカスの十六階にある屋上庭園は、たくさんのゴメラや仮面ヤイバー、怪人のバルーンで飾られていた。

一つが二メートルくらいの大きさのバルーンは、ガラス張りの壁に等間隔で並び、ロープで結ばれた円柱型の重りで地面に固定され、風に乗ってフワフワと浮いている。

蘭と和葉に連れて来られた歩美たちは、数々のバルーンに目を輝かせた。

「わぁ、スゴーイ！」

「ゴメラたちが勢揃いだ！」

「壮観ですね〜！」

子供たちの後ろを歩く蘭も、ゴメラとヤイバーの豪華な装飾に圧倒された。

「ホント、怪獣のバルーンがたくさん！」

よく見ると、それぞれのバルーンの間に制服姿の警備員が立っている。

「うん、そやね……」

和葉は返事をしながら、持っていたスマホをちらりと見た。

「服部君から連絡ないの？」

「ええのええの。いつものことやし」

と笑って返したものの、その表情はどこか沈んでいて、空元気なのが蘭にもわかった。

「お、そうや！　蘭ちゃん、これで写真撮って！」

和葉はスマホを蘭に渡し、ゴメラのバルーンに向かって駆け出した。いろんなポーズや構図で写真を撮りまくる。

「ええやん、ええやん」

撮ってもらった写真を蘭と一緒に見ていると、

「和葉さん！」

小杉が男を連れて小走りでやって来た。

「今日はありがとうございます。こちらは今日のイベントの司会を務める鈴木です」

「日売テレビの鈴木です。今日はよろしくお願いします」

小杉に紹介された人物は会釈した。映画の制作発表会で司会をしていた男だ。

「こちらこそよろしくお願いします」

「あ、この間の制作発表会でも司会をされていましたよね？」

蘭が言うと、鈴木は「ええ……」と表情を曇らせた。

「あのときはいろいろご迷惑をおかけしました」

「まぁそれはともかく、会場にご案内します。控室もそちらに……」

イベントの特設会場は、さらに高い五十八階の天空庭園にあるという。

「はい！」

和葉は元気よく返事をすると、小杉たちと共にエレベーターに向かった。


平次とコナンが病室を出たあと、石澤は静かにベッドから下りて、平次が落とした財布を拾った。そしてドアに近づき、少しだけ開けて廊下をうかがう。

平次とコナンの姿はなかった。警官や看護師もいない——。

石澤はそのまま病室を出て、廊下を進んだ。そして職員用の更衣室に入り、ロッカーに入っていたコートやスニーカー、野球帽を盗むと、入院着の上から着用して出てきた。

早歩きでロビーに向かった石澤は、途中で平次の財布から現金を抜き出してポケットにねじ込み、財布をゴミ箱に捨てた。

見舞客のふりをして正面玄関から出ると、その足でタクシーに乗り込んだ。


「本部長！」

大阪府警の本部長室のドアが開き、鑑識課員を連れた大滝が興奮を抑えきれないような表情で駆けこんできた。

「やはり強盗犯は五人組やったようです！」

「なんやと!?」

応接セットに座っていた銀司郎と平蔵の視線が大滝に集まる。

「防犯カメラに映っとったんです！　――おい」

「あ、はい！」

大滝に促された鑑識課員は、持っていたノートパソコンをテーブルに置いて開いた。そして緊張した面持ちで操作する。

「どうぞ」

鑑識課員はノートパソコンを平蔵の方に向けた。平蔵の背後から大滝と銀司郎がモニターを覗き込む。

「これは被害者宅の玄関の映像なんですが……」

モニターに玄関が映った。

覆面の男が防犯カメラに近づいてきたかと思うと、いきなりスプレーを吹き付けてきて、画面が真っ暗になる。犯人が防犯カメラを見えないようにしたのだ。

「この隙間をよう見ていてください」

大滝は真っ暗な画面の中にあるわずかな隙間を指差した。どうやら塗り残しがあったらしい。

隙間部分が拡大されて、犯人の右腕の一部が映った。腕時計をしている。

「右腕に時計をしているな……」

平蔵の言葉に、銀司郎が続く。

「ということは、左利きか」

大滝は「はい」とうなずいた。

「米倉をはじめとした四人の中に、左利きはおりません！」

平蔵はモニターに映る右腕を険しい眼差しで見つめた。

「つまり、こいつが五人目か……」

「兵庫県警でも犯行グループに左利きがおるいうことはわかっていたようなんですが、それだけではなんともできんかったようです」

大滝の報告に、平蔵は「よし！」と顔を上げた。

「四人の関係者で左利きの人間を洗い出せ！」


石澤を乗せたタクシーは、古いアパートの前で停まった。

タクシーから降りた石澤は、アパートの錆びた外階段を上がり、一番奥の部屋のドアをノックした。

「俺や、克二や。いるんやろ？」

もう一度ノックして声をかけると、ガチャガチャとチェーンを外す音がして、ドアが少し開いた。隙間から石澤によく似た男が顔を覗かせる。

「他に誰もおらんやろな」

「ああ」

ドアが大きく開いて、石澤は中へ入っていった。


大阪府警・合同捜査本部――。

幹部席に座った銀司郎が聞き返すと、手帳を持った綾小路はうなずいた。

「それはホンマか？」

「はい。石澤は幼い頃両親を亡くし、二歳上の兄――浩一と共に京都の施設で育っています。浩一は十六歳で施設を出たあと、行方不明。石澤自身もその後施設を飛び出していま す」

作業をしていた捜査官たちも手を止め、綾小路の報告に耳を傾ける。

「浩一は十五歳の時にケンカで右足に大怪我を負い、若干足を引きずる癖があるそうです。そして、兄の浩一は左利きです」

「何⁉」

銀司郎と平蔵は目を見張った。


古いアパートの部屋で弟から事情を聞いた石澤浩一は、衣装ケースを開け、洋服を手当たりしだいバッグに詰め込みはじめた。

「あ、兄貴。どうするんや」

「逃げるにきまっとるやろ！」

「どこに？」

「知るかい！　とにかくここにおったら、じきに警察が来るやろ！」

浩一はそう言うと立ち上がり、洋服タンスからも服を取り出した。

「だったらなんでもっと早う逃げへんかったんや。米倉のこととかニュースになってたやろ！」

「借金取りから逃げるんで精一杯や。ニュースとか見る暇あらへん。家の電気も止められとんのや！」

二人が言い争っていると、玄関の方から声がした。

「なるほど。そういうことやったんか」

それは、平次とコナンだった。戸口に立つ二人の姿を見て、石澤が驚く。

「お、お前ら、どうしてここに……!?」

「あんたを病院からつけてきただけや」

平次はそう言って、石澤がゴミ箱に捨てた財布をひらひらと見せつけた。そして浩一の方を見る。

「そっちの兄貴が五人目の強盗仲間やな」

「あ、兄貴……」

「クソッ！」

浩一は持っていたバッグを平次に向かって投げつけた。

「どけっ!!」

バッグが当たってよろけた平次に体当たりし、部屋を飛び出す。

「こら待て！」

体を起こして追いかけようとする平次に、今度は石澤が組み付いた。

「兄貴、逃げろ！」

「おい、離さんかい！」

「兄貴ぃ！」

コナンは二人の横をすり抜け、外廊下を走った。

外階段を駆け下りた浩一は、右足をわずかに引きずりながら狭い路地を走っていく。

「逃がすな、工藤ォー!!」

コナンは外階段の手すりを飛び越え、浩一を追った。

路地を抜けて広い道路に出た浩一は、横断歩道を渡った。追いかけてきたコナンも渡ろうとするが、信号が赤に変わってしまった。

横断歩道を渡り切った浩一は、左に曲がって走った。

「クソッ！」

コナンも横断歩道の手前を左へ走った。

数十メートル走った浩一は、角を右に曲がった。コナンも横断歩道を渡り、浩一を追う。

するとコナンの後ろを平次が追ってきた。

浩一は角の先にある歩道橋を駆け上った。コナンも角を曲がって歩道橋の階段を駆け上がる。平次は角を曲がらず、そのまま道路を突っ切って反対側の歩道橋のスロープへ向かう。

スロープの前にあるフェンスに飛び乗った平次は、スロープの手すりをつかんで飛び越えた。

スロープを上っていくと、反対側の階段を上り切った浩一が、息も絶え絶えになりながら駆けてくるのが見えた。

平次も肩で息をしながら、歩道橋の中央に立ちはだかる。

「あんまり……手間をかけさすなや……」

道をふさがれた浩一は、後ろを振り返った。

「もう……逃げられないよ」

背後には、追いかけてきたコナンが荒い息をして立っている。

浩一は「クソォ」とつぶやき、その場にしゃがみ込んだ。


あべのハルカスの五十八階にある天空庭園に設けられたイベント会場には、大勢の親子が集まっていた。

ゴメラと仮面ヤイバーのバルーンを両端に置いたステージの前に並んだ子供たちは、ワクワクした顔で仮面ヤイバーの登場を待っている。

するとほどなくして、司会者の鈴木がステージに現れた。

「皆様、本日は『大怪獣ゴメラVS仮面ヤイバー』の制作発表会にご来場いただき、誠にありがとうございます。開会に先立ちまして、携帯電話やスマートフォンの電源はお切りくださるようお願いいたします。また写真や動画の撮影もご遠慮いただきますよう重ねてお願いいたします……」

歩美たちと一緒に並んでいた蘭はハッと気づき、慌ててバッグから携帯電話を取り出して電源を切った。子供たちや灰原も、携帯電話やスマホの電源を切る。


ほどなくして石澤も歩道橋を上ってきた。歩道橋の隅で座り込む浩一に声をかける。

「大丈夫か、兄貴……」

「……ああ……にある跨線橋の上や……よろしく頼むわ」

浩一を見張りながら大滝に電話した平次は、一件の着信表示に気づいた。

「メール？　和葉からや……」

メールを開くと、蘭が撮った和葉の写真が表示された。ゴメラと仮面ヤイバーのバルーンの前で、和葉がピースサインをしている写真だ。『あべのハルカスなう！』と短いメッセージが添えてある。

「ったく。お気楽なもんや……」

思わずぼやくと、コナンが「何かあったのか？」と声をかけた。

「いや、なんでもない」

平次はメール画面を閉じ、浩一たちを見た。

「ごめんよ、兄貴」

平謝りする石澤に、浩一は「ったく」と舌打ちした。

「こんなことやったら、さぼらんとバイト行っときゃよかったわ」

「ごめん……」

浩一の言葉に、コナンと平次は目を見張った。

「おい、今バイトの時間なんか？」

平次がたずねると、浩一は「ああ」とすんなりと答えた。

「米倉に頼まれたイベント警備のバイトや」

『米倉』の名前が出て、コナンと平次はぴんと来た。

そこに爆弾が仕掛けられているに違いない――！

「それって、どこの警備？」

「あべのハルカスや。なんや映画の制作発表とかなんとか……」

「何⁉」

平次とコナンは顔を見合わせた。

「そのイベントなら、蘭たちも行ってるはずだ」

「ああ……」

コナンはスマホを取り出し、蘭に電話をかけた。平次は浩一に目を向ける。

「米倉から他に指示はなかったんか？」

「そんなこと、いちいち覚えてるかい」

「ちゃんと答えろ！　人の命が懸かってんのやぞ!!」

平次のつかみかかりそうな剣幕に、浩一がたじろぐ。電話をかけていたコナンは、スマホを切った。

「ダメだ。蘭たちに連絡とれねぇ」

「クソッ！」

浩一は二人のやり取りにただならぬ事態を察して、肩をすぼめた。

「……ホンマに詳しいことは聞いてへんのや。怪獣だかなんだかのバルーンがあるから、その横に立ってればええって……」

「バルーンちゅうのは、これのことか？」

平次は和葉から送られてきた写真を見せた。

「ああ、多分な。バルーンの重しに番号が書いてあって、それの二十六番と二十七番の間に立っとけって言われたわ」

「……決まりやな」コナンは平次を見た。

「ああ。爆弾は二つ。二十六番と二十七番のバルーン」

「おそらくその二つのバルーンの重しの中に爆弾が入っとる！」

平次はすぐにスマホで大滝に電話をかけた。


平次から連絡をもらった大滝は、綾小路と共に覆面パトカーであべのハルカスに向かった。小五郎も後部座席に同乗している。

「イベントを中止させなくていいんスか？」

小五郎が後部座席から顔を出すと、運転席の大滝はチラリと振り返った。

「そうしたいところやが、下手に爆弾のことを知らせたらパニックが起きかねまへん」

「今回の爆弾は非常に不安定です。ちょっとした衝撃で爆発しかねまへん」

綾小路が補足すると、前を向いた大滝は「つまり」と顎を引いた。

「爆弾処理班が来るまで、我々だけでなんとかするしかないんや」

9

あべのハルカスの特設会場では、仮面ヤイバーショーが終わり、ステージの中央に司会のお姉さんと仮面ヤイバーが再び現れた。

「みんなの声援のおかげで、ヤイバーはジョッカーの怪人を倒すことができました！　そこで最後に大声でヤイバーにお礼を言ってお別れしましょう！　みんな、いーい？　『仮面ヤイバー、ありがとー！』」

お姉さんが客席に呼びかけると、

「仮面ヤイバー、ありがと〜〜〜!!」

子供たちが一斉に叫んだ。

「ヤイバー、またねぇ！」

「バイバーイ！」

ステージの脇に設置されたテントの控室にも、子供たちの声が聞こえてくる。

控室にいた和葉は、スタッフが用意したステージ衣装を見て、呆然としていた。

「こ、これ、ほんまに着んの？」

それは、ハートがたくさんつけられたワンピースで、恐ろしくダサく、お世辞にもオシャレとは言えない衣装だった。

あべのハルカス前に、覆面パトカーが到着した。

十六階の屋上庭園に上がってきた大滝、綾小路、小五郎を迎えたのは、大量のバルーンだった。

「こ、こんなにぎょうさんあんのか!?」

想像以上のバルーンの数に、三人はギョッとして立ち尽くした。

バルーン一個が二メートル近くあり、これだけの数を一つずつチェックするとなると、それだけで結構な時間がかかってしまう――。

「とにかく手分けして探しましょう」

「おう！」

「わかった！」

考えている暇はなかった。三人は手分けして二十六番と二十七番のバルーンを探し始めた。すでに園内は立入禁止にしたため、一般客はいない。

しかし、バルーンは広い屋上庭園のいたるところに設置されていて、簡単には見つからなかった。

「クソッ！　いったいどこにあるんや!!」

大滝が焦っていると、小杉が走ってきた。

「刑事さん！　僕も手伝います！」

「ああ、それやったら他にもバルーン置いてないか確認してきてください」

「わかりました！」

小杉が戻っていくと、

「大滝はん！」

平次とコナンがやって来た。

「どうや？ 見つかったか？」

「それがまだや。なにしろ数が多くて……」

大滝が屋上庭園を見回すと、

「あった！ あったぞ!!」

離れたところで探していた小五郎が声を上げた。

「二十六番だー!!」

と、ヤイバーのバルーンの前で手を振る。

一同は小五郎が見つけたバルーンに駆けつけた。重しからロープを外してバルーンを別の場所に移動させる。

「よし。開けるで」

重しの前にしゃがんだ平次は、ファスナーで繋がった重しのフタをそっと開けた。

重しの中には複数の爆弾が円状に配置され、中央にデジタル表示タイプのカウンター基盤が置かれていた。

タイマーの残り時間は、十分――。

「あと十分か……」

「爆弾処理班を待つ余裕は、なさそうや」

コナンと平次が爆弾を観察していると、

「大変です!!」

小杉が手を上げながら走ってきた。

「ゴメラとヤイバーのバルーンが一体ずつ、五十八階の特設ステージへ移動したそうです！」

「なんやて!?」

立ち上がった平次は、そびえ立つ超高層ビルを仰いだ。ここから遥か上階にある特設ステージには、和葉や蘭をはじめ大勢の観客がいるのだ……!


五十八階にある特設ステージでは、公開オーディションが始まっていた。

オーディション参加者は全部で五人だった。エントリーナンバー一番から一人ずつステージに上がり、志望動機や特技を披露していく。

「わたしは三歳のとき、兄にゴメラの映画に連れていってもらったのがきっかけで、ゴメラの大ファンになりました。だから今回の『大怪獣ゴメラVS仮面ヤイバー』の映画に出られたらとってもとっても嬉しいです！　よろしくお願いします!!」

ステージでマイクを持った参加者は、和葉と色違いのあの恐ろしくダサイ衣装を着ていた。

屋上庭園にいる一同は、爆弾を前にして考え込んでいた。

「どうする、平ちゃん……」

大滝が目を向けると、平次は爆弾から顔を上げた。

「とにかく大滝はんたちは上に向かってくれ。あそこには和葉や毛利さんとこの姉ちゃんもおるんや。ここはオレらでなんとかする！」

「いや、しかし……」

小五郎が口を挟むと、平次は小五郎を見た。

「上には客がぎょうさんおるんや。避難させるにも人手がいるやろ」

平次が言うことはもっともだった。

「……わかった。ただし、お前たちも危なくなったらちゃんと逃げるんだぞ！」

「ああ、わかってる」

平次がうなずくやいなや、小五郎は「急ぎましょう！」と大滝と綾小路に声をかけた。

「ああ」「はい」

三人がエレベーターへ向かって走り出し、小杉も後に続こうとすると、

「あぁ、小杉さんは残ってくれ」

平次が呼び止めた。

「頼みがあるんや」

「頼み……？」

小杉はきょとんとした顔で訊き返した。


特設ステージでは、四番目の出場者がアピールタイムを終えて、舞台袖に向かって歩いていった。

客席の光彦は拍手をしながら、歩美と元太に話しかけた。

「さあ、次はいよいよ和葉さんの番ですよ」

「ドキドキだね」

「和葉姉ちゃんなら、優勝間違いなしだよな！」

元太の言葉に、子供たちのそばにいる蘭も小さくうなずいた。

映画に出たいという熱意は、きっと誰にも負けないはず。

(和葉ちゃん、頑張れ……！)


舞台袖で待機していた和葉は、戻ってくる女性を、ドキドキしながら見つめていた。

いよいよ、自分の番だ。

「では、最後の出場者です。エントリーナンバー五番、地元大阪からいらっしゃいました、遠山和葉さん！」

司会者が名前を呼び、音楽が鳴った。

和葉は思い切ってステージに飛び出した。

緊張のあまり、ロボットのようにカチコチ歩きで進む。

するとそのとたん——音楽が止まった。

会場に流れていた音楽がいきなり止まり、観客がざわついた。

「あれ？　音楽が……」

「故障か？」

「どうしたのかなぁ」

子供たちがキョロキョロするそばで、蘭は「和葉ちゃん……」と心配そうにステージを見つめる。

すると、司会者が慌てた様子でステージに出てきた。

「皆様、申し訳ありません。機材の故障により、ここでいったん休憩とさせていただきます」

客席から「えー」と驚きと不満の声が上がる。

ステージに出てきた和葉は、司会者の後ろで呆然と立ち尽くしていた。

「なお、エレベーターホールではゴメラとヤイバーの握手会を行います。皆様どうぞご参加ください」

司会者の言葉に、観客はとたんに歓声を上げ、エレベーターホールに向かいだした。

エレベーターホールに殺到する観客たちを、和葉がぽかんとした顔で見つめる。

「あの、これってどういう……」

「すみません。実は緊急事態なんです。あなたにこれを渡してくれと」

司会者は顔を寄せて小声で言うと、和葉にスマホを渡した。和葉は怪訝に思いながらも、スマホを耳に当てた。

「……もしもし？」

『和葉か？』

「平次！」

電話の相手は、平次だった。

空中庭園にいる平次は、スマホを耳に当てながら床の爆弾をチラリと見た。

しゃがみ込んだコナンが、爆弾を調べている。

「ええか、和葉。落ち着いて聞いてくれ」

平次は一呼吸置いてから言った。

「お前のおるステージに爆弾があるんや」


爆弾、という言葉に、和葉はすぐに反応できなかった。


「……ええ～っ⁉」

とやや遅れて、すっとんきょうな声を上げる。

「なんの冗談なん？　爆弾なんて――」

『ステージにバルーンが二つあるやろ？』

平次に言われて、和葉はステージの両サイドにあるバルーンを見上げた。

「うん……ヤイバーのバルーンと、ゴメラのバルーンや」

『そのバルーンを繋いでる重しの二十七って書いてある方に、爆弾が入ってるはずや』

平次の声は、いたって真面目だった。落ち着いた口調だけど、どこか緊迫した空気が伝わってくる。

まさか、本当に爆弾が――……!?

和葉は二つのバルーンに駆け寄り、それぞれの重しを覗いた。

「……あった！　ゴメラの方の重しに二十七って書いてある」

『よし！　じゃあそのチャックを開けてフタを開け』

「わかった。ちょっと待ってて」

和葉はスマホをステージに置くと、ゴメラのバルーンと繋がっているロープを外し始めた。

平次はスマホを耳から外し、爆弾を調べているコナンを振り返った。

「どうや？」

「OK。周りの導線は全てバイパスだから、順番通りに切っていけば問題ない」

コナンは導線を切る順番を記したメモ帳を見せると、再び爆弾を見た。

「後はプラグ式の起爆装置を取り出せばいいだけだ」

基盤の下には幾つものコードが張り巡らされ、さらにその下には丸い筒に入った起爆装置が見える。

「わかった」

平次がうなずくと、

『うわぁ!!』

スマホから和葉の叫び声が聞こえてきた。

「どうした、和葉!?」

重しのフタを開けた和葉は、爆弾を目の当たりにして思わず叫んでしまった。

基盤に付いているタイマーは、五分を切っている――……!

「無理無理無理! こんなん無理や!」

『落ち着け、和葉!』

「こんなんほっといてサッサと逃げよ！　な⁉」

『アホ！　今爆弾が爆発したら、他の客たちはどうなる⁉』

和葉はハッとして、後ろを振り返った。

ガラス張りのエレベーターホールは、大勢の観客たちでごった返している。

『もう全員を避難させてる時間はないんやで‼』

平次の言うとおりだった。あと四分やそこらで、あそこにいる人たち全員が避難できるわけがない。

『ええか、和葉』

耳に当てたスマホから、平次の落ち着いた声が聞こえてきた。

『今、大滝はんたちがそっちに向かってるけど、間に合うかどうかわからん。オレはこっちの爆弾処理せなあかんから、そっちには行けん』

「え？　そっちにも爆弾あんの⁉」

『ああ。せやからそっちはお前がやるしかない。オレの言うとおりやればいいだけや』

和葉は目を閉じて、平次の声を聞いていた。

いくら平次の言うとおりにすればいいとはいえ、残りわずかな時間で、爆弾をどうにかできるんだろうか——。

『大丈夫。お前ならできる！』

スマホから平次のきっぱりとした声が聞こえてきて、和葉は覚悟を決めた。自分が爆弾を止めなければ、皆が犠牲になってしまうのだ。

「……どうすればええの？」

『よし。そしたらテレビ電話に切り替えて、そっちの爆弾を見せてくれ』

「わかった。テレビ電話は……」

和葉はスマホを耳から外し、テレビ電話に切り替えようと画面を見た。けれど、どこを操作すればいいのかわからない。すると、

「貸して。私がやってあげる」

蘭がいつの間にかそばに立っていた。一度は子供たちとエレベーターホールに向かった

のだが、和葉が心配になって引き返してきたのだ。

「蘭ちゃん……！」

和葉がテレビ電話で映した爆弾は、空中庭園にある爆弾と同じものだった。

「そしたら、和葉。お前がいつも持ってる裁縫道具の中にちっこいハサミがあるやろ。あれで爆弾のコードを切るんや」

平次はコナンが持っているスマホを見ながら、ポケットから十徳ナイフを取り出し、ナイフの刃を引っ張り出した。

『OK。いつでもええで』

「まずは黒だ」

コナンは切る順番を記したメモ帳を見て言った。

「和葉。最初は黒のコードや。まずオレが切ってみてなんともなかったら、お前も切れ」

『うん』

「ほないくで」

平次は左手でつまみ上げた黒いコードの下に、ナイフの刃を当てた。刃を引くと、コードがブツッと切れる。平次とコナンは爆弾を覗き込んだ。

「ええぞ。黒を切れ！」

『わかった』

黒、黄、緑、白、茶――。

和葉は平次に言われたとおり、順番にコードを小さなハサミで切っていった。

『OK。残るは最後の大物や。赤いコードが繋がった筒の中に、青いコードが繋がった筒がプラスチックの棒で支えられてぶら下がってるのが見えるやろ？』

「うん……」

和葉と蘭は重しの中に入った爆弾を覗き込んだ。

コードを切られた爆弾の真ん中に赤いコードが繋がった筒があり、さらにその中に青いコードが繋がった筒が入っていた。筒の上に十字型のプラスチック棒が付いていて、それぞれの先端が外側の筒にネジで固定されている。

『そのぶら下がってる筒を周りの筒に触れないように引き抜いて、青いコードを切れば終いや』

スマホに映る平次は、十徳ナイフのドライバーを引き出した。

『まずはそれを支えるプラスチックの棒のネジを外して……』

「あかん」

和葉はネジを見て言った。

『どうした？　和葉』

「……アタシ、ネジ回し持ってへん」

ドライバーでネジを回し始めた平次は、ハッとしてスマホを見た。

『どないしよ……』

スマホの画面には、不安そうな和葉が映っている。

「どないもこないも裁縫道具ん中に入ってないんか⁉」

『入ってるわけないやんか！』

平次は、クソッ、と頭を抱えた。

「あともう少しやっちゅうのに……っ」

コナンは基盤のタイマーを見た。

「まずいぞ、服部。もう三分切ったぞ！」

平次は身を乗り出してスマホに顔を近づけた。

「なんかその辺に落ちてへんか⁉　代わりになるようなもん！」

「そんなこと言うたかて……」

平次に言われて、和葉は周りを見回した。そばでバルーンを持っている司会者もポケットを探る。

「そない都合のいいもん……」

と見上げた和葉の目に、仮面ヤイバーのバルーンが留まった。その瞬間、仮面ヤイバーカフェで平次にパッチン留めを買ってもらったことを思い出した。

「あった！　あったで平次!!」

和葉は頭のパッチン留めに触れた。これならネジを回すことができる！

『急げ、和葉！　もう時間がない!!』

(堪忍やで、ヤイバー)

和葉はパッチン留めを外し、先端に付いていたヤイバーのマスコットをむしり取った。

「ハサミ貸して！　和葉ちゃん」

「うん！」

ハサミを蘭に渡すと、和葉はパッチン留めを使ってプラスチック棒を留めているネジを回した。そして反対側のネジも回して外す。

その間にもタイマーの数字がどんどん減っていき、ついに残り一分を切った。

ネジは全部で四つあった。和葉はさらに別のネジを回して外し、最後のネジも回す。
全てのネジが外れて、後は起爆装置の筒を引き上げるだけだった。
これを、外側の筒に触れないように引き上げなければいけない。わずかでも触れたら、
きっと爆発するに違いない——。
起爆装置に伸ばした手が震えているのに気づいて、和葉はギュッとこぶしを握った。
怖い。怖い。どうしよう。やっぱり自分には無理だ。
『大丈夫。お前ならできる！』
ふいに、平次の声が和葉の頭に浮かんだ。
……そうだ。怖がっている場合じゃない。
爆弾を止めて、もう一度、平次に会うんだ……！
和葉は、震えの止まった手で起爆装置をつかんだ。そしてゆっくりと慎重に、引き上げ
ていく。
「蘭ちゃん！　切ってぇぇ!!」

起爆装置を引き上げた和葉は、さらにグイッと引っ張って、ついているコードを伸ばした。蘭がコードをつかみ、ハサミで切る――！

コードを切った瞬間――タイマーの数字がゼロになって表示が消えた。

「……これで終い？」

起爆装置を持った和葉と、コードをつかんだ蘭は、顔を見合わせた。

「みたい……爆発してないし」

「ピンポーンとかブーッとかも、なし？」

『ああ。それで終いや』

平次の声がして、二人は爆弾の上に置いたスマホを見た。スマホの画面に、平次が映っている。

『ようやったな。さすが和葉や』

和葉と蘭は再び顔を見合わせた。そして、

「「やった――――!!」」

と万歳した。和葉が持っていた起爆装置が放り投げられ、

「うわっ！　とと」

司会者が慌ててキャッチする。

「あ……」

持っていたバルーンが手から離れ、ゴメラと仮面ヤイバーのバルーンはふわふわと空に昇っていった。

『……ところで、和葉』

スマホから平次の声がして、万歳していた和葉と蘭は振り返った。

「ん？　何？」

画面に映る平次の顔が、なぜかニヤニヤしている。

『よぉ似おうてるやないか、その服』

和葉はハッとして、自分の衣装を見た。ハートがたくさんついた、とてつもなくダサい衣装を着ていたことを、すっかり忘れていたのだ。

「いやぁ！　見んといてぇ〰〰！」

顔を真っ赤にした和葉は、慌てて蘭の後ろに隠れた。

10

数日後。コナンは子供たちと阿笠邸に集まっていた。いつものようにリビングのソファで過ごす子供たちのそばでは、灰原がノートパソコンをいじっている。

「和葉お姉さん、結局映画には出ないんですね」

光彦が言うと、歩美は「ざんねーん」と口をとがらせた。

「また撮影現場に行けると思ってたのに」

和葉が映画出演を辞退した、とコナンは平次から聞いていた。

(あの衣装がよっぽどこたえたみてーだしな)

和葉の衣装を思い出して、コナンはハハ……と笑った。

「だけどよかったな。映画の撮影、中止にならなくて」

元太が言うと、灰原が「さ、準備できたわ」とノートパソコンをテーブルの上に置いた。

「これで見られるわよ。映画の最新情報」

子供たちがノートパソコンの前に集まった。

灰原がキーを押すと、公式サイトに掲載されている動画が再生される。

巨大な怪獣が、大阪市街の建物を破壊しながら歩いていた。いくつものビルが力任せに引き倒され、すさまじい量の粉塵が舞い上がる。

そこに、ゴメラが現れた。

にらみ合う二体の怪獣のそばに立つビルの屋上には、深紅のマフラーをなびかせた仮面ヤイバーが立っている。

『大怪獣ゴメラ　VS　仮面ヤイバー　撮影快調!!』

画面にテロップが入ると、怪獣がするどい咆哮を上げた。その口から強烈な熱線がほとばしり、日売テレビ新社屋に直撃する。

熱線を浴びた新社屋は派手に吹き飛び、轟音を立てて崩れ去った。

迫力満点の最新動画に、子供たちは釘付けになっていた。すげー、早く観たーい、と興奮した声を上げる。そのそばで、

「結局壊れるんだ、新社屋……」

ものの見事に破壊された新社屋を見て、コナンは思わず苦笑いしてしまった。

Shogakukan Junior Bunko 

★小学館ジュニア文庫★

名探偵コナン 大怪獣ゴメラVS仮面ヤイバー

2020年1月29日 初版第1刷発行

著者/水稀しま
原作/青山剛昌
脚本/大倉崇裕

発行人/野村敦司
編集人/今村愛子
編集/伊藤 澄

発行所/株式会社 小学館
〒101-8001 東京都千代田区一ツ橋2-3-1
電話/編集 03-3230-5105
販売 03-5281-3555

印刷・製本/加藤製版印刷株式会社

カバーヴィジュアル/作画監督:須藤昌明 レイアウト:山本泰一郎
原画:清水義治 仕上げ:藤原優実
背景:白波瀬宏美(スタジオ・イースター)

デザイン/石沢将人+ベイブリッジ・スタジオ

Printed in Japan ISBN 978-4-09-231321-7